NEYMAR

Universo dos Livros Editora Ltda.
Rua do Bosque, 1589 – Bloco 2 – Conj. 603/606
CEP 01136-001 – Barra Funda – São Paulo/SP
Telefone/Fax: (11) 3392-3336
www.universodoslivros.com.br
e-mail: editor@universodoslivros.com.br
Siga-nos no Twitter: @univdoslivros

CONVERSA
ENTRE PAI
E FILHO

NEYMAR

As histórias
de um dos
maiores ídolos
da atualidade

São Paulo
2013

UNIVERSO DOS LIVROS

1ª edição – 2013

Dados Internacionais de Catalogação na Publicação (CIP)
Angélica Ilacqua CRB-8/7057

M835c More, Ivan

Neymar – Conversa entre pai e filho / Ivan Moré, Mauro Beting. – São Paulo: Universo dos Livros, 2013.

192 p.
ISBN: 978-85-7930-542-9

1. Santos Júnior, Neymar da Silva - Biografia 2. Futebol 3. Santos Futebol Clube I. Título II. Beting, Mauro

13-0759 CDD 927.96334

Diretor editorial
Luis Matos

Editora-chefe
Marcia Batista

Redação
Mauro Beting

Depoimento a
Ivan Moré

Assistentes editoriais
Raíça Augusto
Raquel Nakasone

Preparação
Viviane Zeppelini

Revisão técnica
Marcelo A. Batista
Silvio Lima Segundo

Revisão
Ana Luiza Candido
Cássio Yamamura
Rodolfo Santana

Arte
Francine C. Silva
Valdinei Gomes

Capa
Loducca

Foto da capa
Mario Daloia

Fotos do miolo
Helena Passarelli

Produto Oficial Licenciado Neymar Jr.

SUMÁRIO

PREFÁCIO

Neymar Jr.,

Quando você foi campeão da Libertadores, no dia seguinte, meu pai, Joelmir Beting, então apresentador do Jornal da Band, molhou os ralos cabelos brancos para fazer um moicano igual ao seu. Quase apresentou o telejornal daquele jeito. E olha que ele era palmeirense...

Ele foi o melhor pai que um jornalista pode ser. E o melhor jornalista que um filho pode ter como pai.

Ele te adorava. Imagino como ele ficou lá em cima, três dias depois de partir desta vida, em novembro de 2012, ao ver o filho jornalista recebendo de você, no gramado da Vila Belmiro, uma placa em homenagem a ele. Por tudo que ele amava do futebol. Logo, por tudo que ele gostava do seu futebol. Como o Maracanã e o mundo viram na Copa das Confederações. Exatos 52 anos depois de meu pai ter dado a Pelé uma placa pelo gol que virou expressão de craque – Gol de Placa.

Como hoje, e por muito tempo, você será a melhor expressão de craque brasileiro. E mundial.

Confesso que não lembro o que você me falou naquele dia, Neymar Jr., na Vila. Confesso que não lembro o que falei a você no gramado quando recebi a placa que o Santos deu a meu saudoso pai.

Nunca me senti tão emocionado e honrado por representá-lo. Tanto que não me lembro das palavras daquele momento inesquecível.

Imagino o que Neymar pai sente a cada lance seu. Sou pai e filho de craques de outros campos. Meus pais e filhos são tudo. Nem imagino o que deve ser para um pai ter um filho que é o máximo no que faz. E vai ser muito mais.

Imagino o que Neymar filho sente por ter um pai craque como ele. Companheiro como raros. Amigo como poucos. Parceiro único.

Imagino o que Ivan Moré sentiu por ser um espectador privilegiado de uma tabelinha de craques. E parabenizo a amiga Marcia Batista por ter idealizado um projeto tão especial.

Não existe time melhor que nossa família. Todas elas. Mas poucas famílias no futebol jogaram tão bem juntas como a de Neymar, que é mais que pai, e Neymar Jr., que é mais que filho. Neymar que é o Espírito do Santos Futebol Clube.

Amém!

Mauro Beting, jornalista esportivo

APRESENTAÇÃO

Conheci o Neymar Jr. pouco depois da estreia dele, quando o time do Santos ainda era dirigido por Vanderlei Luxemburgo. Lembro-me perfeitamente daquele dia. Era um Palmeiras X Santos, na Vila Belmiro. Neymar Jr. havia feito o gol decisivo, com o pé esquerdo, na vitória de 2 a 1 do time da casa. Detalhe: no gol adversário estava Marcos (o Santo Palmeirense).

No segundo tempo, Neymar Jr. foi substituído. Eu pedi permissão ao treinador, fui até o banco de reservas, sentei-me ao lado do jogador e pedi a ele que retirasse a chuteira do pé esquerdo. O gesto serviria para eu elaborar meu texto de passagem (momento em que a imagem do repórter aparece na reportagem). Lembro-me do olhar do menino Neymar Jr., assustado e surpreso, mas que atendeu na hora ao meu pedido.

Começava ali uma relação amistosa e de muito respeito com a então promessa santista. Durante as primeiras conquistas de Neymar Jr. com a camisa do Santos, tive a chance de fazer algumas reportagens especiais com o craque. Na meteórica ascensão desse garoto iluminado há uma curiosidade. Ele jamais seria o que é se não tivesse por trás a figura do pai. E o legal disso tudo é que, relembrando o passado do pai, a história que vem à tona é algo que salta aos olhos, tantos foram os problemas, desafios e situações-limite que a "família Neymar" enfrentou. E depois de uma história tão rica, só é possível constatar o seguinte: na carreira da joia lapidada nas categorias de base do Santos, nada foi por acaso.

A ideia do livro é mostrar como foi a origem desse sucesso. Por qual motivo esse jovem de penteado exótico é hoje o maior nome do esporte brasileiro? De onde vem tanta luz? Tamanha energia?

Para responder essas perguntas, mesclamos os depoimentos de pai e filho. A ideia é entender o papel e a influência de cada um na vida do outro, e de que forma essas vidas conseguiram, numa simbiose perfeita, chegar a um reconhecimento mundial.

O talento de Neymar Jr. é algo fora do comum, mas poderia se perder no "meio futebol" se o jovem não fosse muito bem direcionado. E é exatamente aí que entra a figura do pai. Ao ler *Neymar – Conversa entre pai e filho* o leitor entenderá a base do sucesso desse gênio chamado Neymar Jr. e o futuro promissor que o aguarda.

Ivan Moré, jornalista

DE PAI PARA FILHO

Meu nome é Neymar da Silva Santos. Neymar não é um nome muito comum, embora, imagino, esteja sendo cada vez mais conhecido e reconhecido por causa de uma pessoa muito especial que apareceu na minha vida há 21 anos. Já Silva Santos é um sobrenome muito comum. Silva é o que mais tem no Brasil. Foi sobrenome até de presidente. Santos é o outro nome do qual eu me orgulho muito. E, para minha felicidade, que é a felicidade de um homem como qualquer outro, uma pessoa simples como qualquer brasileiro, sou Santos com muita satisfação e com muito amor. Em tudo! Sou mais orgulhoso ainda por tudo que aconteceu de maravilhoso com nossa família. Do meu filho, que fez uma história tão bonita, maravilhosa e vencedora justamente no Santos Futebol Clube, o time do meu ídolo Pelé e de tantos craques da Vila Belmiro. O clube do meu coração. O clube do meu filho.

Mas ninguém na família foi mais santista que meu pai, seu Ilzemar. Ele e minha mãe são do Espírito Santo. Capixabas, com muito orgulho. Mas, por ele, teria nascido mesmo na Vila Mais Famosa: a Vila Belmiro de todos nós. Minha também, que nasci na Baixada, em Santos mesmo. Assim como meus irmãos: José Benício, que todo mundo chama de Nicinho, e a Joana D'Arc, a Jane.

Infelizmente, seu Ilzemar não pôde ver o neto jogando profissionalmente, pois partiu em maio de 2008, pouco menos de um ano antes da estreia de Neymar Jr. pelo Santos. Meu filho também herdou esse respeito e admiração pelo clube e sempre levou a memória e o amor pelo avô para dentro de campo.

Para o Neymar Jr., ou Juninho, como o chamamos na família, a carreira é uma festa. Com responsabilidade, claro, mas uma alegria só. Tudo o que sempre quis na vida, ele tem na profissão. Para ele, basta um campo, uma trave e uma bola. Com isso, ele está feliz. Nada foi fácil para ele e nem para nós. A gente passou por muita dificuldade para estar bem hoje. Para meu filho, nada caiu do céu, embora não haja dúvidas de que ele tenha algo divino: o talento. Ele sempre foi muito compenetrado e valeu todo o investimento feito por nós e por quem acreditou nele.

Todo atleta profissional vive uma realidade que, muitas vezes, parece irreal. Pela dificuldade que é para ingressar profissionalmente, manter o pique e permanecer no auge. E o detalhe é que, quando um atleta se aposenta, ele não precisa simplesmente trocar de emprego. Ele precisa trocar de profissão. É muito duro.

Quando chega o melhor momento como jogador e como homem, quando o atleta está mais maduro e responsável, o corpo começa a cobrar a conta de tanto esforço e sacrifício.

É possível driblar os adversários pela vida. Mas, nesta vida, não tem como driblar o tempo. A hora chega para todos. E um guerreiro, por definição, quer vencer. Até mesmo o próprio tempo. E, nessa luta, não tem como... É preciso saber o momento de parar. Mas quem é que sabe? Só Deus sabe. Nós temos de respeitar o tempo, como respeitamos Deus.

Eu, por exemplo, também joguei futebol profissionalmente. Fui da base do Santos. Dos meus catorze aos dezesseis anos atuei pelo clube do meu coração. Passei pela Portuguesa aqui da Baixada e acabei me profissionalizando na querida Briosa. Fui para o Tanabi, em São Paulo, ainda muito jovem. De lá, fui para um clube da terceira divisão mineira, o Iturama, ali perto de Frutal, onde peguei uma tuberculose muito séria. Fiquei um ano parado, dos dezenove aos vinte anos.

> Eu, por exemplo, também joguei futebol profissionalmente. Fui da base do Santos.

Não tinha como atuar profissionalmente naquela condição. Resolvi voltar a trabalhar com meu pai, na oficina mecânica dele, quando apareceu um convite para jogar lá na Caneleira, no velho Jabaquara, clube tradicional de Santos, que teve muita história no futebol até o comecinho dos anos 1960.

Meu pai, seu Ilzemar, não queria que eu voltasse a trabalhar com futebol. Eu estava bem, ganhando meu dinheirinho com revenda de carro. Eu recuperava o veículo na oficina e ganhava dinheiro com a venda dele. Meu pai não queria que eu largasse o emprego para tentar de novo a sorte como jogador. Mas eu fui. Adorava jogar futebol. E era mesmo mais pelo prazer do que pelo dinheiro. Eu trabalhava durante a semana com veículos e, no fim de semana, jogava pelo Jabaquara. Tanto era por amor ao futebol que eu estava jogando sem remuneração.

Fiz quatro bons jogos pelo Jabuca. Um deles foi contra o União de Mogi das Cruzes, que estava na Série A-3, o que, na época, era a terceira divisão do futebol paulista. O Jabaquara estava na quarta divisão estadual, na série B-1, uma série abaixo da A-3. Mais um motivo para eu me esforçar e mostrar serviço. Nesse amistoso, fui bem... tão bem que o árbitro do jogo, o célebre Dulcídio Wanderley Boschilia, me indicou aos dirigentes do União de Mogi.

O melhor de tudo é que eles aceitaram a indicação! Meu pai torcia o nariz em vez de torcer por mim no Jabuca. Na cabeça dele, aquilo era mais um bico do que profissão. No entanto, naquele momento, o negócio era mais sério e profissional. Fui até Mogi conversar com os dirigentes. Nem deu tempo: me mandaram direto para o primeiro treino do elenco, que estava se preparando em Suzano, cidade próxima de Mogi das Cruzes e bem pertinho da capital paulista. Modestamente, fui muito bem, jogando na minha, na ponta direita. Driblando, criando as jogadas de linha de fundo, servindo meus novos companheiros. Fiz o que estava fazendo pelo Jabaquara. E, confesso, fiz muito bem para uma estreia naquelas condições.

Depois do treinamento, fui, então, a Mogi das Cruzes acertar com o presidente do clube. Como eu não recebia salário no Jabaquara, qualquer dinheiro seria muito bem--vindo do União. Isso foi em março de 1989. A proposta veio por um contrato que ia até dezembro. E era uma boa grana. Muito acima do que eu imaginava. Eu dei uma disfarçada, louco para fechar negócio ali. Mas soube me valorizar e voltei logo depois. O presidente deve ter achado que eu ainda não estava satisfeito, e quase dobrou meu salário e minhas luvas. Saí da segunda reunião com o contrato assinado. E ainda com cara de quem não tinha gostado.

Aprendi muito naquela reunião. E joguei muito bem naquele ano de 1989 na série A-3. Tanto que o Rio Branco de Americana se interessou por mim. Era um clube de uma divisão acima. Em dezembro de 1989, dez empresários de Mogi se uniram, compraram meu passe e ofereceram para o União de Mogi para eu permanecer no clube. Com o dinheiro das luvas do negócio, comprei uma casinha para o meu pai, lá na Baixada Santista. Foi a primeira vez que me senti rico. Ainda que não fosse tudo isso. Mas porque eu pude, naquele momento, retribuir aos meus pais tudo que eles fizeram por mim e pelos meus irmãos. Não tem felicidade maior na vida.

A partir do meu acerto com o clube de Mogi das Cruzes, eu jogava o estadual no primeiro semestre pelo União e, no segundo, era emprestado para outros clubes, já que o time não tinha atividades profissionais no restante da temporada. Desse modo, na base do vai e volta para casa, fui atuar no Coritiba, no Lemense e no Catanduvense. Eu sempre saía, mas voltava para o União de Mogi.

Eu não era um craque. Mas também não era um mau jogador. Eu sabia o que fazer com a bola e tinha noção de jogo. Mas nem sempre conseguimos executar o que imaginamos. O corpo, muitas vezes, não acompanha o que a cabeça pensa. Só os privilegiados conseguem enxergar tudo (e, muitas vezes, antes) e ainda executar o que pensam com a bola.

No meu caso, as lesões que sofri me impediram de ir longe e fizeram com que eu encerrasse minha carreira aos 32 anos. Tive que parar de jogar como profissional muito cedo. Precisei largar a minha paixão, o meu ofício. Eu sofria também, naquela época, com contratos baratos e más condições nos clubes, e já não era tão jovem para um atleta. Como pai de família desde 1992, tinha cada vez mais responsabilidades. Em 11 de março de 1996, havia nascido a minha caçulinha, a Rafaela. Com ela e o Juninho para criar, ficava mais difícil me deslocar pelas cidades e perambular por vários clubes, arranjando contratos que não fechavam as contas de casa com a minha mulher, a Nadine.

No meu caso, as lesões que sofri me impediram de ir longe e fizeram com que eu encerrasse minha carreira aos 32 anos. Tive que parar de jogar como profissional muito cedo. Precisei largar a minha paixão, o meu ofício.

Eu já não tinha condições para isso. Ficar mudando meu filho de escolinha toda hora era muito desgastante para nós e péssimo para ele. Não dava mais... Além disso, meu corpo me cobrava fortemente. Quando eu conseguia treinar bem e duro durante a semana, na hora do jogo doía tudo. Se me poupasse nos treinamentos, eu não rendia técnica e taticamente dentro de campo. O pessoal do clube achava que eu estava de sacanagem, escondendo o jogo... Não era isso... Jamais! Só não estava mais dando certo. Os contratos eram cada vez menores, com menos dinheiro. Eram contratos de risco. Pelo meu histórico de lesões, só conseguia assinar acordos que podiam ser suspensos caso eu parasse no departamento médico.

Eu não podia sentir dor. Precisava me tratar em casa para evitar que o clube soubesse de meus problemas. Eu não podia mais me enganar, muito menos ludibriar meus empregadores. Eu precisava optar, o que é sempre mais difícil quando se faz o que gosta. Encerrar um sonho de criança, ainda que já adulto, chefe de família, é sempre mais complicado. Mas não teve jeito. Tive de desistir do meu sonho. Minha carreira como atleta estava terminada.

Nessa época, porém, eu já tinha uma joia em casa. Duas joias. Mas uma podia ir além do meu sonho.

DE FILHO PARA PAI

O que eu sou, o que eu tenho, devo tudo aos meus pais e a Deus. Sou um sortudo por ter mais que um pai. Tenho ao meu lado, acima de qualquer coisa, o meu melhor amigo. Ele me dá umas duras, mas tudo que faz é por mim, por nós. Pela nossa família.

Todo pai é tudo para um filho. E comigo não é diferente. Meu pai está sempre pensando no melhor para todos. Aprendo demais com os conselhos e toques que ele dá. É ótimo ter um verdadeiro professor de vida e de futebol como ele. O próprio futebol também me fez evoluir bastante. Hoje eu sei o que é certo e o que é errado. Às vezes, a gente acaba cometendo enganos por inexperiência. Meu pai me ajuda muito a enxergar meus erros – ou a evitá-los, sempre que possível.

Muito mais que um empresário, agente ou conselheiro, meu pai é a minha vida. Não devo a ele apenas meu nascimento, mas todas as minhas conquistas desde então. Sei que ainda preciso aprender muita coisa, que sou moleque, muito jovem. Mas sei que posso contar sempre com meu pai como referência, dentro e fora de campo. Sempre me espelhei em tudo o que ele faz e diz. Quantas vezes no campo (e na vida) não pensei: "O que meu pai faria numa situação como essa?". Isso sempre me ajudou. Ele é minha inspiração.

Dentro de campo, também me inspiro em outros grandes atletas e ídolos. Meu pai me ensinou a sempre prestar atenção para aprender com os mais experientes. Por isso, estou sempre de olho no Messi, no Cristiano Ronaldo... E sempre tentei absorver algo de Ronaldo, Robinho, Rivaldo e Romário.

Tenho consciência de que sou uma figura pública. Por isso, tenho de tomar cuidado com o que faço em campo e fora dele. Sei que sou exemplo para muitas crianças. Preciso sempre ter muita responsabilidade. Mas fica menos complicado, já que faço o que amo.

Quantas vezes no campo (e na vida) não pensei: "O que meu pai faria numa situação como essa?". Isso sempre me ajudou. Ele é minha inspiração.

Faço tudo do meu jeito. Não faço pose. Não invento história. Não é jogada de marketing, nem é para fazer tipo. Gosto de ser autêntico. Adoro caprichar no visual. Ousar em roupas, sapatos, bonés e brincos. Os garotos da minha geração são assim! Não vejo problema algum. Os cabelos podem estar mais para cima que o normal. Mas os meus pés estão sempre fincados no chão. Esse é o meu jeito.

Lido com as críticas de um modo bastante tranquilo. Não tenho raiva. Sei quando preciso melhorar e tem muita coisa que ainda posso aprender. Mas também sei quando a crítica é construtiva ou se estão exagerando de um modo pessoal. Sei separar as duas situações, embora, algumas vezes, os críticos nem sempre queiram fazer isso. É preciso ter paciência e, também, perseverança para tentar se superar e fazer com que os que criticam hoje possam falar bem de você no próximo jogo.

Estou acostumado com as críticas porque tenho um amigo sincero dentro de casa. Chego em casa e pergunto: "E aí, pai?". E o seu Neymar não perdoa: "Ah, filho, você fez isso errado, fez aquilo errado! Mas você pode melhorar". E é assim que a gente aprende, né? A chave de tudo é o diálogo.

Assim como meu pai, nunca gostei de perder. Não tem essa palavra no meu dicionário! Sempre busquei dar meu máximo para levar alegria para a torcida. Chamo a *responsa* mesmo e não me escondo. Quero a bola. Quero jogo. Não gosto de perder gol feito e detesto desperdiçar uma jogada. Eu me cobro muito mesmo. Mas é assim que aprendo. Penso sempre que quero fazer em campo o mesmo que fazia quando jogava bola na rua. Com o mesmo espírito de ousadia e alegria.

Meu pai é o melhor crítico que tenho. O melhor e o mais duro. Depois das partidas que faço, ele me mostra meus lances editados e ainda me dá uma cópia completa da minha atuação para eu poder me aperfeiçoar. Mostra estatísticas, fala onde errei, onde acertei e como posso melhorar. Ele entende muito. Então é uma verdadeira lição de futebol. É assim que aprendo. E sou muito grato a ele por tudo.

POR UM FIO

Fevereiro de 1992. Estávamos em casa quando a bolsa de Nadine estourou. Fomos para a maternidade e, graças a Deus, foi tudo normal. Parto natural. Era um menino! Só soubemos quando nasceu. Não tinha como saber o sexo antes, 21 anos atrás. Ou até já tinha como fazer a ultrassonografia, mas nós não tínhamos condições financeiras para isso.

Quando nosso primogênito nasceu, honestamente, não sabíamos como iria se chamar. O nome mais cotado era Mateus. Ideia da Nadine. Mas não nos decidíamos. Ficamos quase uma semana indecisos. O Juninho ficou a primeira semana de vida sem nome. Até hoje eu sou meio assim. Demoro para decidir sobre algumas coisas. Faço tudo em cima da hora... Mas, quando me decido, não volto atrás. Então, quando fui registrá-lo, estava definido que seria Mateus. Porém, no meio do caminho, mudei de ideia... E ele foi chamado de Neymar. Como o pai. Nasceu, então, o Neymar Jr.!

Nadine e eu morávamos, nessa época, em um apartamento alugado pelo União de Mogi, no Rodeio. Foi lá que eu passei os primeiros dias de vida do Juninho morrendo de medo de pegá-lo nos braços. Aquela coisinha frágil, da qual eu não sabia cuidar direito. No início, eu precisava de gente para me ajudar a segurá-lo. Depois de um tempo, bastava eu, o pai do Juninho, para tomar conta dele. E já tinha ciúmes se alguém ficava muito tempo com meu filho.

> Então, quando fui registrá-lo, estava definido que seria Mateus. Porém, no meio do caminho mudei de ideia... E ele foi chamado de Neymar. Como o pai. Nasceu, então, o Neymar Jr.!

Alguns meses após o nascimento, em junho de 1992, saímos de Mogi das Cruzes rumo à Baixada Santista para visitar parentes. Eu tinha jogado naquele dia pelo União. O Juninho tinha quatro meses apenas. Eu estava com a Nadine na frente e o nosso filho ficou deitadinho no bebê conforto, no banco de trás do meu carro vermelho.

Descer a serra em dia de chuva é sempre perigoso. Ainda mais em rodovia com uma pista só, mão dupla. Um carro veio em minha direção. Joguei o meu para o acostamento. Nessa hora, eu estava em quinta marcha. Quando acelerei, ainda estava muito lento, por causa da marcha, e não tive como engatar a primeira e ganhar velocidade. O veículo atingiu a gente em cheio, de lado, e entrou na minha porta. A minha perna esquerda foi parar em cima da outra. Púbis. Bacia. Tudo desencaixou no meu corpo. Fiquei desesperado e comecei a falar para minha mulher: "Estou morrendo, estou morrendo". Naquele momento, foi tudo muito rápido. Mesmo vendo tudo, você não enxerga nada. Pior que o medo e a dor, só a sensação que veio em seguida: onde estava o Juninho? Onde estava o meu filho?

Eu e minha esposa não conseguíamos achar o Neymar Jr. – pequeno de tudo, ele tinha sumido! Não estava na frente, não estava no banco de trás. Pensei, na hora, que a força da batida o tivesse projetado para fora do carro. Aquela coisinha pequena de apenas quatro meses! Não preciso dizer o que foram aqueles momentos. Eu nem saberia dizer. Eu me arrepio só de lembrar.

Minha esposa e eu tínhamos quase certeza de que havíamos perdido nosso filho. Naquele desespero e com aquela dor insuportável na bacia, só consigo me lembrar de ter pedido ao Pai para que me levasse no lugar do Juninho. A maior dor da minha vida seria perdê-lo. Incomparavelmente maior àquela que sentia entre as ferragens do carro.

> Naquele desespero e com aquela dor insuportável na bacia, só consigo me lembrar de ter pedido ao Pai para que me levasse no lugar do Juninho.

O automóvel ficou no meio do precipício. Havia um riacho ali perto. Estávamos pendurados, quase em cima dele. A Nadine não podia sair pela porta do passageiro, pois acabaria caindo no precipício. Tinha de sair por trás, pela janela de fundo do carro. Eu estava preso ao cinto. Na batida, tudo ficou deformado. O Juninho estava perdido. Nós estávamos sem chão.

Mas quem acredita em Deus, crê em tudo! As pessoas que vieram nos ajudar conseguiram encontrar o Juninho debaixo do banco do carro. Ele estava ali o tempo todo. Graças a Deus! Quando o retiraram, meu filho estava todo ensanguentado. Rapidamente o levaram para o hospital. Só fui revê-lo mais tarde. Ele e minha esposa. O meu filho já estava todo limpinho, somente com uma proteção na testa. Aquele sangue todo era de um corte pequeno feito na cabeça por um pedaço de vidro. Nada mais grave. Mas e o tempo que levou até eu saber disso?

Eu sofri uma luxação de bacia muito grave. Como não é possível engessar a área, os médicos fizeram uma espécie de cinta, um aparelho com o qual eu ficava levitando no ar. Fiquei assim dez dias no hospital. Depois mais quatro meses em casa, do mesmo jeito: deitado.

Só voltei a pegar o Juninho no colo oito meses depois do acidente, quando ele já tinha um ano. E quando ele já não chorava ao me ver. No começo, ele se assustava com toda aquela aparelhagem no quarto, comigo suspenso no ar. Era terrível para ele toda aquela parafernália. E, para mim, também era ainda mais assustador e triste não ter meu filho por perto. Era muito estranho não poder tocar nele, não poder chegar perto nem ajudar minha esposa a cuidar do nosso filho.

Eu só conseguia dormir tarde, depois do meu filho e da minha mulher. Quando eu pegava no choro e no sono. Era horrível não poder sentar e nem me mexer. Era pavoroso pensar no meu futuro como atleta profissional depois de uma situação como aquela.

Talvez aquilo tudo tenha me preparado de alguma forma para o futuro do Neymar Jr. Eu agradeço por ter sofrido esse acidente. Eu tenho mais fé e paciência. Eu agradeço muito a Deus por cada sofrimento que tive em minha vida. É muito melhor você passar por isso do que ver os filhos passarem por um sofrimento parecido. Talvez eu não suportasse da forma que eu suportei tudo o que aconteceu comigo se essas coisas tivessem acontecido com algum dos meus filhos.

> Era horrível não poder sentar e nem me mexer. Era pavoroso pensar no meu futuro como atleta profissional depois de uma situação como aquela.

O meu maior orgulho e satisfação está em ver tudo acontecer positivamente com o Neymar Jr. e com a Rafaela. Se eu tivesse que passar por tudo isso novamente, não mudaria um segundo da minha vida, uma vírgula do que aconteceu na minha história.

Graças a Deus e às pessoas que nos ajudaram depois do ocorrido, o nosso menino sobreviveu àquele acidente. Como o Juninho sempre diz: "Deus nos iluminou naquele dia. E desde então, e antes disso também".

PRIMEIROS JOGOS

Foi meu pai quem me apresentou à bola. E foi por acompanhá-lo em mais uma partida dele como jogador que comecei a realmente jogar futebol, e não apenas correr atrás da bola, como se fosse um brinquedo qualquer.

Meu pai estava jogando para valer. Eu estava correndo pela arquibancada vendo a partida. Ou melhor, apenas brincando. E correndo mais que meu pai em campo. Eu ficava para cima e para baixo nos degraus do estádio. Não parava de jeito nenhum. O mais engraçado daquele dia é que eu realmente não estava chutando uma bola. Eu estava mais correndo que jogando. Aí apareceu o Betinho, treinador muito experiente e competente de Santos. Ele viu meu jeito de correr e gostou. Achou que eu daria certo como jogador. Ou pelo menos não custava tentar.

Ele foi conversar com meus pais. Convenceu seu Neymar de que eu poderia treinar com ele. Esse foi o pontapé inicial. Como tudo começou. Foi ótimo ter tido o Betinho para me ajudar e me educar desde o início. Ele e meu pai me colocaram na direção certa e me ajudaram a ser o que sou. Quantos talentos não deram certo como prometiam por falta de orientação? A gente ouve isso direto, e é verdade. Alguém que tinha potencial, mas não virou jogador, porque não teve um orientador para explorar esse dom.

Eu tive a felicidade de ter um mestre como meu pai ali pertinho, dentro de casa. E tive professores como o Betinho, que viu minha condição, aprimorou minhas virtudes e corrigiu meus defeitos. Ter humildade para ouvir quem sabe mais, quem viveu mais, é um grande jeito de aprender. Experiência é fundamental na vida.

Eu tive a felicidade de ter um mestre como meu pai ali pertinho, dentro de casa. E tive professores como o Betinho, que viu minha condição, aprimorou minhas virtudes e corrigiu meus defeitos.

Mas o improviso também é necessário no futebol. Isso aprendi desde muito menino, no futsal. Você pode ter algo em mente e treinar fora de quadra e de campo. Mas é lá dentro que a coisa sai. Ou não. Nessas horas é preciso ter sensibilidade para sacar o momento certo de cada lance. Muita coisa que fiz no futsal, e mesmo em campo, como profissional, saiu na hora, ali dentro, na base da ousadia. O segredo é que dá para "treinar" o improviso. Quantas vezes não fiz isso em casa? Eu pegava a bola, botava umas cadeiras, a mesa, e saía driblando o que via e o que vinha pela frente para treinar.

Minha infância inteira foi assim na casa onde morava com meus pais, a casa do meu avô Ilzemar. Lá eu dormia com meus pais e minha irmã em um quarto. Quando a gente entrava, tinha o colchão em que nós quatro dormíamos do lado esquerdo. Na frente dele, tinha um baú para guardar umas coisas e mais um armário. Tinha um pequeno espaço entre o lugar de dormir e o armário. Nesse pequeno corredor eu ficava com a bola. E também no colchão, né? O campinho era esse pequeno espaço e mais o colchão. Adorava ficar batendo bola ali. E também me jogando na cama como goleiro. Como o espaço era meio pequeno, eu também gostava de brincar de goleiro. Mas só nesses primeiros "jogos oficiais" na casa do meu avô.

Minhas primas também jogavam. Quer dizer... Elas faziam parte do meu jogo. A Jeniffer era uma das traves. A Rafaela, minha irmã, também virou uma das traves por um bom tempo. A Lorrayne e a Rayssa eram adversárias. Ou uma espécie de joão-bobo, com todo o respeito. Minhas primas ficavam meio que como obstáculos. Às vezes elas até ficavam com camisas de times só para eu achar que estava mesmo jogando para valer contra elas.

Outro dia, eu fiz uma sessão de fotos para uma campanha publicitária. No final, pedi, como sempre, a bola que usamos para tirar as fotos. Vim com ela fazendo umas embaixadas até o elevador. Como não tinha ninguém lá dentro, continuei até chegar ao térreo, quando encontrei dois meninos que quiseram autógrafos. Parei para tirar fotos, e, em seguida, voltei a brincar com a bola. Fui até o carro brincando com ela. Na boa, não vivo sem bola. Desde a casa do meu avô. Desde o berço.

Mais tarde, na casinha que meu pai conseguiu construir na Praia Grande, no Jardim Glória, o "campinho" era simples. Um dos gols ficava na porta de fundo. Dá mesmo para dizer que era "o gol de fundo" do meu estádio. O outro ficava lá no quarto. Eu fazia meus jogos, meus campeonatos. Eu pegava a bola e saía jogando. E também narrando minhas jogadas. Eu jogava, narrava e fazia som de torcida. E fazia gol do Neymar. Do Neymarzinho. Eu!

Saudades daquilo tudo... Tinha até "falta". Quando eu saía driblando e batia no sofá, reclamava com o "juiz". Claro, era um árbitro imaginário. Mas eu brincava como se fosse um jogo sério.

O meu treino era pegar uma bola bem pequena e ficar batendo contra a parede. Quando cansava o meu pé direito, meu preferido, batia com o esquerdo. Depois, comecei a usar a coxa direita. E depois a esquerda. Depois matada no peito. Aí, domínio com a cabeça. Não só a cabeçada para o gol, mas como parar a bola ali. Não era fácil. Mas era uma brincadeira. Sem perceber, brincando, fui melhorando.

Pude também me desenvolver muito jogando bola na praia. Quando meu pai podia, arranjava um tempinho para a gente bater uma bolinha por lá. Ele me mostrava como e onde eu tinha de chutar. Ele tocava no meu pé e falava: "É aqui onde você tem de bater na bola". Eu ia lá e repetia a lição. Onde ele tocava no meu pé era onde eu ia ter que tocar na bola.

Mas teve uma vez que eu não toquei direito... Meu pai fez um campinho bem legal na nossa casa. Ele mesmo assentou e depois fez um gramado lindo. Um dia, convidei meus amigos para passar a tarde jogando futebol comigo. Tinha chovido e a grama ainda não estava toda assentada. Resultado: acabamos com o gramado. E eu já estava imaginando meu pai chegando tarde do trabalho para me dar bronca por aquela lama toda. Nessas horas é preciso ter presença de espírito. Ou ausência dele, não sei. Só sei que fiquei duas semanas "dormindo" mais cedo. Meu pai chegava em casa e me encontrava "dormindo" mais cedo todos aqueles dias.

Além de acabar com o gramado do meu pai, eu também gostava de brincar de ser cartola. Organizava campeonatos, tinha tabela, tinha chaves com grupos. Fase semifinal, final, mata-mata. Assim, comecei a ganhar jogos e campeonatos imaginários. Sonhando que um dia tudo pudesse se realizar.

Vou sempre me lembrar do meu campinho de Praia Grande. A minha praia. Como os portões dos vizinhos sofriam! Eles também eram nossos gols. E os vasos da minha mãe, então... O problema maior é que ela me dava broncas de verdade. E tinha razão, né? Ela ficava meio maluca dentro de casa, porque eu chutava a bola para tudo quanto é lado e nem sempre chutava tão bem. Daí já viu...

> Vou sempre me lembrar do meu campinho de Praia Grande. A minha praia. Como os portões dos vizinhos sofriam!

Como mãe, que sempre cuida de tudo com muito carinho, ela pedia para mim: "Filho, não pode fazer isso". Mas o legal é que ela nunca me impediu de jogar futebol. Muito pelo contrário. Ela me deu tanta força quanto meu pai. O pai dela, meu avô Arnaldo, também jogou futebol. Eu não o conheci. Mas deve ter sido guerreiro, como minha mãe. Ela sempre fez de tudo por nós. Não só para me deixar brincar em casa, mas também para me levar aos treinos quando meu pai não podia, por estar trabalhando duro. Também nisso sou um privilegiado. Meus pais sempre fizeram de tudo para que eu pudesse ser feliz. Se não fossem meus pais, este livro não existiria. Toda essa história seria apenas mais um sonho de menino.

TRABALHO HONRADO

O amor que o Juninho tem pelo que faz não é só pelo futebol, mas pelo objeto. Pela bola. É impressionante. Ele ama esse instrumento mais que tudo. Por isso digo que ele é um jogador de bola antes de ser um jogador de futebol. É o necessário para ser um craque. Gostar da bola. Amá-la. E por ela ter respeito e admiração. Só pode querer ser um bom profissional quem sabe com o que trabalha. Mais ainda: quem ama ficar testando todas as possibilidades do instrumento de trabalho.

Normalmente, a criança não é apaixonada pelo futebol. É apaixonada pela bola. Ela brinca na sala, no quintal, em qualquer lugar. Não quer saber se tem espaço, se tem coisa que quebra por perto. A criança quer a bola. Quer brincar com aquilo que é um brinquedo e que depois pode virar coisa séria. Como aconteceu com meu filho.

Quem joga futebol conhece o bom jogador no primeiro toque de bola. O Mário Américo, que foi massagista da

Seleção Brasileira por muito tempo, na era de ouro do nosso futebol, dizia que "o craque a gente vê só pelo jeito de andar". Eu posso dizer que já via que o Neymar Jr. tinha jeito para a coisa antes mesmo de andar. Já engatinhando.

> Eu posso dizer que já via que o Neymar Jr. tinha jeito para a coisa antes mesmo de andar. Já engatinhando.

Com uns três anos, vi que a coisa era mais séria do que eu pensava. Juninho devolvia a bola direitinho quando eu a tocava em sua direção. Aquela coisa de pai e filho brincando com a bola. Para ele, ela não era um brinquedo qualquer. Era coisa séria. Ele não ficava com a bola para ele. Não era fominha. Já me devolvia direitinho! Normalmente, a criança chuta e brinca sozinha. Algumas até usam as mãos, naquela fase do "é minha". O Juninho, não. Ele jogava futebol. Ele queria dialogar com quem estava com ele por intermédio da bola. Ele se comunicava pela bola. Ele sabia que precisava de alguém para jogar, para tabelar. Ele aprendia muito fácil no campo de jogo. Ele sabia, como que por instinto. Nos primeiros jogos, já dava para ver que ele era diferente, não só pela habilidade, mas também pela ideia geral do jogo. Aquela coisa de 21 moleques em torno da bola e ele, destacado, na dele, esperando a melhor jogada, no melhor espaço.

Eu percebi o jeito dele para o negócio e comecei a forçar uns passes mais difíceis, mais fortes, mais tortos para ele dominar. E o menino dominava a bola e devolvia na direção certa. O Juninho fazia tudo direitinho. Eu nem precisava explicar. Ele sabia onde mandar a bola, o que fazer com ela. Eu, como profissional, era ponta-direita. Driblava bem, mas não era um grande finalizador. Fiz poucos gols na carreira. Também porque pegava mal com a canhota. Pé esquerdo, como se diz, só para subir no ônibus. Ou nem isso. Agora, o Neymar Jr., não. De berço, já fazia quase tudo. Logo cedo, vi que o Juninho tinha potencial.

De tanto gostar de futebol, ele começou a acumular bolas. Tinha mais de cinquenta em casa. Bola de todo tipo. Boa, ruim, nova, velha, murcha, cheinha. Ele mal cabia na cama com tantas bolas em volta. As que não cabiam ali ele deixava pelo quarto, pela sala. Tinha ainda um saco cheio de bolas. Ele adorava todas. Mais ainda as menores, aquelas mais difíceis de jogar e de dominar.

Eu não tenho recordação da primeira vez que chutei uma bola. A mesma história se passou com o Juninho. Mas, na vida, quando só fazemos uma coisa, quando queremos muito e sonhamos, dá para dizer que sempre fizemos isso. É o caso dele com o futebol. Um caso de amor com a bola.

Relação que eu também tinha e que ficou abalada com o acidente de carro em junho de 1992. Ele praticamente me impossibilitou de andar durante um ano, abreviando minha carreira de atleta, que terminaria definitivamente em 1997. Fui campeão mato-grossense pelo Operário de Várzea Grande. Na decisão, vencemos o União de Rondonópolis por 2 a 1. Foi no dia 3 de agosto de 1997. Fizemos muita festa e, logo depois, acabei me aposentando.

No começo de 1998, menos de seis meses depois do meu último título estadual, prestei um concurso na Companhia de Engenharia de Tráfego (CET), em Santos. Como sempre gostei de automóvel e como trabalhei bastante na oficina mecânica do meu pai, achei que a CET era um ótimo lugar para eu iniciar minha vida depois da bola.

Passei no exame e consegui a vaga. Mas não para trabalhar no que eu sabia fazer, no que eu gostava, com carros. O emprego era para ser auxiliar de pedreiro. De serviços gerais. Eu fazia obras para a Prefeitura de Santos. A CET estava mudando os pontos de ônibus da cidade. Eu era mais um que trabalhava na construção de novos abrigos para os passageiros nos pontos de ônibus. Arrematava as calçadas, dava um acabamento naquilo, arrumava mosaico português, cravava poste, coisas assim.

Não era o que eu queria. Mas era o que eu podia naquele primeiro semestre de 1998. Após quatro meses de trabalho duro, consegui arranjar algo melhor dentro da empresa. A CET terceirizava a manutenção veicular. Como eu entendia de motor, fui cobrir férias de um amigo meu, o Juvenal, eletricista. Fui bem no teste e logo comecei a tomar conta das motos da Polícia Militar e da CET. Só deixaria a empresa em 2009, como chefe de manutenção veicular, quando larguei tudo para cuidar da carreira do meu filho. Ele, se Deus quiser, vai continuar trabalhando com seriedade e terá um final de carreira bem melhor que o meu – que, num intervalo curto, deixei de ser campeão estadual para quebrar pedra para a prefeitura.

Dois trabalhos dignos e honrados, mas totalmente diferentes. Eu precisava botar comida na mesa. Ganhava salário mínimo. Então, também comecei a vender purificador de água Panasonic para complementar a renda. Era preciso me virar. Imagine, então, alguns anos depois, eu vendo o Neymar Jr. vendendo produtos como o grande garoto-propaganda dessa marca. Quem poderia imaginar algo parecido?

> Dois trabalhos dignos e honrados, mas totalmente diferentes. Eu precisava botar comida na mesa. Ganhava salário mínimo.

Eu trabalhei muito pela minha família. Nunca tive grandes facilidades financeiras como atleta, mas pude contribuir para o sonho do meu filho. Graças a Deus, à sorte e aos muitos amigos que tenho, sou um cara de muita alegria. Tenho grandes amigos por toda parte. Gente que sempre me ajudou, gente que sempre tento ajudar. Amigos demais. Ainda bem!

Quando comecei na CET, em 1998, também fazia outros bicos para me virar. Eu fazia carreto no fim de semana com uma velha Kombi. Quando fazia a curva, o pessoal do banco de trás tinha de segurar a porta para que ela não abrisse... Acabei conhecendo, com isso, alguns parceiros que me apresentaram a dois clubes de várzea, na Praia Grande, na Baixada Santista. Um desses meus amigos donos de clube era despachante aduaneiro, o Toninho, e tinha o campo lá no Jardim Real. O outro era um construtor chamado Jura que tinha a sede no Melvi.

Eu tinha um terreno na Praia Grande, um doze por trinta na cidade. Meu sonho era construir uma casa naquele terreno. Foi o que me sobrou da minha passagem como atleta profissional: um terreno de doze por trinta na Praia Grande. Tinha a posse dele, tudo direitinho. Mas não tinha como comprar material de construção. Não tinha como levantar uma casinha para minha mulher e para os meus filhos.

Mas, com amigos como os que eu tenho, qualquer sonho pode virar realidade. Então o Toninho conseguiu o material de construção. Todinho. E o Jura contratou a mão de obra para erguer a casa. Tudo em troca do meu talento como jogador de futebol para o time deles. No sábado, eu jogava por um time, no domingo pelo outro. Jogando na várzea, pude fazer a casa dos meus sonhos na Praia Grande. Esses dois caras me ajudaram muito naquela ocasião. E continuam me ajudando.

Já passei por muitos momentos difíceis. Teve uma época em que não tínhamos grana nem para pagar a conta de luz e ela foi cortada. O mais engraçado é que o Juninho e a Rafaela se divertiam com a situação. Diferentemente dos adultos, eles não viam a hora de chegar a noite, quando tínhamos de acender as velas. Eles achavam o maior barato. Corriam pela casa e se divertiam. Eu não podia lamentar aquilo. Afinal, o que tínhamos naquela casa sem luz não tem preço: o amor. É assim que se constrói um lar, uma vida. Com amor. Com carinho. Com parceria. Com paciência. Mesmo sem condições financeiras, nossa família ficou ainda mais unida. Ainda mais feliz.

> Eu não podia lamentar aquilo. Afinal, o que tínhamos naquela casa sem luz não tem preço: o amor.

Depois de eu ter parado com o futebol, quando já trabalhava na CET, ainda pintavam alguns convites para eu fazer o que mais gostava – jogar profissionalmente. Mas algumas apostas eram arriscadas. Eu podia perder meu emprego e não ganhar o suficiente. Aquilo não era mais para mim. Não tinha mais volta. Mas dizer "não" naquelas circunstâncias doía ainda mais. Em nome da realidade, da saúde financeira, da minha família, do meu pai, eu precisava dizer não. Negar meu sonho. Eu precisava ser realista. E isso doía mais que meu corpo nos treinos e jogos.

Tinha vezes que eu saía da CET aos prantos. Não pelo trabalho que eu fazia. Mas pelo futebol que eu não podia mais jogar como profissional. Era uma dor igual à da perda de um título, de um jogo importante. Ainda pior, porque nem em campo eu estava... Eu tinha de ganhar a vida e as batalhas de outro jeito. Por mim e pela minha família. Para quem não gosta de perder, não poder jogar é ainda pior. Eu havia perdido o direito de poder perder um jogo de futebol!

O jogo da vida pode ser cruel. Mas ainda mais cruel é não querer ir à luta. É não sonhar. Isso eu nunca deixei de fazer. E continuo fazendo. Sigo sonhando. E permitindo que meus filhos façam o mesmo.

SANTOS, SEMPRE SANTOS

Vi meu pai jogando na várzea desde os meus seis anos. E ele sempre queria jogo, buscando alcançar a vitória. Ele sempre foi muito focado. Aprendi muito com isso. Para buscar o resultado, é preciso levar a sério todos os treinos e jogar todos os jogos.

Mesmo moleque, aprendi a não driblar à toa e sempre busquei a responsabilidade e o respeito pelo adversário. Meu pai sempre me diz: "Movimenta bem, filho. Mexe para os dois lados, cansa seu adversário, não fica parado. Não fica na posição de conforto, senão você facilita o trabalho do marcador". Ele sempre me mostrou como alguns jogadores de extrema habilidade muitas vezes se perdem em dribles inconsequentes. Batem uma bolinha ali na lateral, umas embaixadinhas no meio-campo, e gol que é bom, nada! Quantas vezes o excesso acaba prejudicando? Resultando em muita reclamação dos companheiros, cobrança do treinador, e raiva na torcida.

Sei como é e também sofro com isso. Como torcedor e como atleta. Para vencer, é preciso se esforçar. Sei que futebol não é um jogo de praia com os amigos. É preciso ter a alegria de jogar como se você estivesse disputando uma pelada com os caras e, ao mesmo tempo, saber também que tem muita coisa envolvendo o futebol profissional. Muita gente que torce pela gente. Uma instituição centenária, que é o seu clube, te dando todas as condições necessárias. E também todos os patrocinadores e parceiros que acreditam e sustentam esse trabalho.

E isso tudo foi o que, graças a Deus, tive desde que cheguei ao Santos. O Zito – do grande time do Santos nos anos 1950 e 1960 – foi quem me levou para o clube. Depois de eu ter jogado no Gremetal, no Tumiaru de São Vicente, seu Zito me viu jogando futsal e fez de tudo para me levar da Portuguesa Santista para a Vila Belmiro. Sou eternamente grato a ele pela confiança e pela vontade de me integrar ao clube. Seu Zito sempre me ajudou. Não só a mim, mas também a toda minha família. Ele nos abriu as portas da Vila Belmiro.

Eu joguei futebol de salão dos sete aos doze anos. No campo, comecei mais tarde. Desde menino, apesar de muito magrelo, eu sempre jogava uma categoria acima. Isso foi ótimo para adquirir experiência. Quando eu tinha idade de pré-mirim, já jogava no mirim. Quando era mirim, já estava no infantil, e por aí foi. Mas o pior eram alguns casos de marmanjos muito maiores que o limite de idade. Os famosos "gatos" do futebol. Esses me pegavam pesado, querendo intimidar. A gente até brincava que vinham alguns jogadores sub-15 com os filhos deles na arquibancada. Não era possível que eles tivessem menos de quinze anos de idade. O bom é que sempre tinha algum companheiro ou treinador para me ajudar. Seu Lima, o grande curinga do time do Pelé, nosso treinador, sempre vinha falar comigo e com meu pai a respeito disso. Lembro uma vez que ele veio ver se estava tudo bem comigo depois da partida, porque eu "tinha apanhado de um marmanjo de 32 anos" do time sub-15 do adversário. Era engraçado, mas eu sofria.

Naquela época, quando cheguei ao clube, não existia no Santos as equipes sub-13 de hoje. Então, a partir da ideia do seu Zito, eles criaram essa categoria, para que eu e outros colegas pudéssemos crescer na base do clube. Foi ótimo em todos os sentidos. Passei a ter um salário para valer desde então. Desde o futsal, eu já levantava um dinheirinho.

> Passei a ter um salário para valer desde então. Desde o futsal, eu já levantava um dinheirinho.

No começo, com sete anos mais ou menos, era uma cesta básica para eu jogar. Quando as escolas puderam investir, começaram a oferecer bolsas de estudo. E o que é melhor: era tudo em dobro. Porque meu pai negociava bem e conseguia para mim e para a minha irmã. Ele é um craque nisso também. Até gasolina para o professor Betinho meu pai conseguiu. Afinal, nosso treinador foi por muito tempo meu meio de transporte também. Como meu pai e minha mãe tinham de trabalhar, o Betinho me levava e me trazia do Santos. Não só a mim. Outros colegas que moravam perto também eram transportados por nosso treinador e motorista. O cara realmente nos conduzia. E dizia sempre para a molecada, depois de um dia de treinos e estudos: "Agora vocês descansam, tá bom?". Tá legal... Não preciso dizer que eu e meus amigos esperávamos o Betinho ir embora para que a gente voltasse a jogar bola na rua, em casa, onde pudesse. Até mesmo onde não pudesse.

O investimento do presidente Marcelo Teixeira no Centro de Treinamento Meninos da Vila foi fundamental para minha permanência no Santos. E para a chegada e revelação de novos talentos.

Não tem nada melhor que atuar onde a gente gosta. Em casa, no nosso lar. Eu me sentia muito confortável no Santos, onde fui acolhido aos onze anos. Eu era da casa. No clube, só precisei me preocupar em jogar bola. Sempre fizeram tudo para que eu pudesse ser feliz. Nessa rotina maluca que eu vivia de treinos, jogos, viagem e escola, eu precisava de alguém mais próximo dando respaldo em casa. Meu pai, mesmo me acompanhando em tudo, ainda trabalhava na CET. Então, com a ajuda de custo que o clube oferecia, minha mãe conseguiu ficar em casa comigo, cuidando de mim.

Eu me sentia muito confortável no Santos, onde fui acolhido aos onze anos. Eu era da casa.

O Santos, para mim, é maior que tudo. E o mesmo sentimento tenho pela Seleção Brasileira. Que é maior que todos nós juntos. E essa sensação será igual no Barcelona. Uma das melhores coisas no futebol é aprender esse senso coletivo. Esse sentimento de todos por um, e os onze por milhões de torcedores.

É uma coisa mais de torcedor que de jogador profissional. Esse sentimento de quem ama de verdade. Nesse sentido, meu pai diz que eu sou tão torcedor quanto jogador. Que eu sinto muito isso dentro de campo. O que é ótimo. Quero me doar ainda mais para o clube que amo como se fosse torcedor. E o melhor é que, tanto no Santos como no Barcelona, a filosofia de trabalho sempre foi a de valorizar a prata da casa, o menino que cresceu dentro do clube. Isso cria muita afinidade e entrosamento; logo, cria muito mais condições para a gente se dar bem dentro e fora de campo.

Quando a gente atua pelo clube que gosta, com o qual tem tanta afinidade e identidade, não quer apenas ganhar os jogos. Queremos agradar a nossa gente, o nosso torcedor, o nosso clube. Por isso acabamos fazendo as coisas com muito mais emoção. Querendo não só vencer, mas também convencer. Querendo dar gosto aos torcedores. Grandes times feitos na base do clube não são apenas equipes vencedoras. São times bonitos de se ver jogar até para quem não torce por eles. Muito por conta desse entrosamento. É como se fosse uma comida caseira. É feita com mais sabor. Com mais gosto. Com mais amor.

Essa receita dá muito resultado. Foi assim comigo no Santos. E também espero que continue sendo assim no meu novo time. No meu novo lar.

REAL MADRID

Dinheiro não aceita desaforo. Tem de guardar. Por isso, cuido das contas do meu filho de maneira cautelosa. Preciso deixá-lo livre para brilhar. O Neymar Jr. tem de jogar bola. Eu tenho de cuidar da parte burocrática para isso. Ele nem se preocupa com o quanto ganha. Eu sim. E trabalho para que ele prospere cada vez mais fora de campo. Do mesmo jeito que ele cresce cada vez mais dentro de campo.

Não é ganância. É responsabilidade. Quero o melhor para meu filho, para a família dele, para nossa família. Por isso trabalho tanto por ele. Assim como ele tanto trabalha por nós. Desde que entrou no time principal do Santos, em 2009, e passou a ser muito assediado por todos, eu passei a controlar tudo ainda mais. Tudo o que ganha e tudo o que gasta. Brincava – falando sério – que, de vez em quando, eu dava uns dez reais para ele tomar sorvete. Era um pouco mais, mas não muito.

Para jogar bola é preciso ter os pés no chão e a cabeça no lugar. Para não se deixar levar por dinheiro em tão pouco tempo de vida e de carreira, é preciso ser cauteloso com o bolso. Desde os onze anos, Neymar Jr. já tinha contrato com o clube. Isso vale muito para nós. O reconhecimento que o Santos sempre teve pelo meu filho. E o dinheiro não vale mais que isso. Tanto que, em março de 2006, ele poderia ter se tornado jogador do Real Madrid. Mas ele não quis. Nós não quisemos.

Para jogar bola é preciso ter os pés no chão e a cabeça no lugar.

Quem trouxe a proposta do clube espanhol foi o nosso empresário, o Wagner Ribeiro, que nos foi apresentado pelo Betinho. O Wagner, empresário de sucesso e muito respeitado em todo mundo, havia ficado impressionado com o talento do Juninho. Tanto que desde cedo apostou nele. Quando meu filho tinha cerca de doze anos, fomos ao escritório de outro famoso empresário do futebol, o uruguaio Juan Figer. Ele e o Marcel Figer, filho dele, passaram a cuidar do Neymar Jr. Acertamos o contrato, e o Wagner nos dava um dinheirinho por mês.

Não era muita coisa, não. Mas juntando meu salário na CET e a ajuda de custo que o Santos ofereceu para que o Juninho continuasse no clube, dava uma boa melhora na nossa qualidade de vida e a minha esposa pôde parar de trabalhar. Com a Nadine em casa, o Neymar Jr. já tinha alguém para fazer o almoço dele antes do treino. Ele não precisava mais esquentar sozinho a comida no forninho.

Estava tudo se acertando. Até que o Wagner Ribeiro se desentendeu com o Santos Futebol Clube por conta da longa negociação da saída do Robinho para o Real Madrid. Diante dos acontecimentos, chegava gente dizendo que o Juninho não ficaria mais na Vila Belmiro se o Wagner continuasse nos empresariando. Foi difícil. O Neymar Jr. se esforçando nos jogos e treinos e algumas pessoas querendo tirá-lo do clube só por que o Wagner trabalhava comigo. Um absurdo!

Eu não achava certo, pois o Wagner estava nos ajudando muito. Aprendi muito com ele. Ia direto ao seu escritório. Não era correto. Ele apostara no meu filho desde o comecinho. Estava fazendo muito por nós. Não era certo deixar de trabalhar com alguém por pressão de terceiros. Não era correto largar alguém só para me dar melhor. Não tínhamos nada a ver com os problemas dele com o Santos, e vice-versa. Mais que tudo: tínhamos um compromisso firmado e uma palavra honrada com nosso agente. Esse combinado vale mais que tudo. É com lealdade que se vence também fora de campo. É com lealdade que se vence em qualquer campo da vida.

Depois disso, quando Neymar Jr. tinha treze anos de idade, o Wagner Ribeiro deu um jeito de apresentá-lo ao Real Madrid. E fomos passear de avião pela primeira vez. Eu e meu filho passamos dezenove dias na Espanha. O Real Madrid fez uma proposta parecida com a que o Barcelona tinha feito pelo Messi quando garoto. Uma aposta no futuro. Eles levariam o Neymar Jr. para Madri, e ele cresceria na Espanha. Como homem e atleta. Pagavam muito bem por isso. Por um garoto de treze anos!

Em seis dias na Europa, eu e o Juninho já não aguentávamos mais. Não conseguíamos comer mais nada. Tudo era igual. Ou tudo era diferente para nós. Nessas horas, o sentimento paternal precisa entrar em campo. Eu tinha condição de aguentar a saudade de casa. Já passei muitas dificuldades na vida. Sou adulto. Homem feito. Mas meu filho era apenas uma criança de treze anos. Para mim, como para qualquer pai, ele era um bebê. Era e sempre será.

Deixá-lo na Europa, ainda que ganhando bem, com potencial para fazer coisas ainda maiores, era uma violência para uma criança de treze anos. Na vida, tem vezes que é preciso pensar muito bem. Como pai e empresário do filho, é preciso pensar além. Saber dosar as coisas. Toda decisão tem lados bons e ruins. Não tem nada 100% nem 0%. É preciso equilibrar. É preciso ter a noção de que, algumas vezes, não estamos perdendo as coisas. Estamos apenas deixando de ganhá-las naquele momento. É muito importante ter isso em mente durante toda vida e para tudo.

Deixá-lo na Europa, ainda que ganhando bem, com potencial para fazer coisas ainda maiores, era uma violência para uma criança de treze anos.

Foi o que aconteceu quando fomos para Madri. Deixamos de viver lá desde os treze anos do Juninho. Mas veja só o que ele conquistou, desde então, no Santos e no Brasil. E, agora, tudo o que vai conquistar no Barcelona. Valeu a pena! Quando penso no passado, percebo que fizemos as escolhas certas. E olha que não foi fácil dizer não. No primeiro dia, eles já botaram o Juninho para treinar. E como jogou bola! Em dezenove dias, ele marcou 27 gols nos treinos.

Nos primeiros três dias, já tínhamos acertado tudo com eles. Contrato feito, tudo bonitinho. Escola para o Neymar Jr. e para a Rafaela. Tudo certinho. Só faltava a assinatura da mãe. A Nadine tinha passagem para vir para a Espanha comigo e com o Juninho, mas ela preferiu ficar em Santos com nossa filha.

Logo depois, não deu uma semana, o Juninho não parecia feliz. Bateu aquela saudade da nossa casa. Da nossa família, dos amigos, da escola, da cidade e do Santos Futebol Clube. Saudade de tudo. A comida era boa. Mas não aguentávamos mais de saudade do arroz e do feijão. Não tem dinheiro que pague isso. Vi o Neymar Jr. ficando triste a cada dia. O ambiente ficava cada vez mais difícil. Mesmo com tudo sendo facilitado para nós, achei que não era o momento. O Juninho concordou. E assim foi feito. Ficamos em Santos. Para nossa alegria, voltamos para casa. O coração decidiu. Não queria saber se estávamos deixando de ganhar muito dinheiro. Eu apenas queria que ele continuasse jogando bola feliz. E ele não estava feliz naqueles dias. Não havia dinheiro em Madri e no mundo que comprasse a felicidade do meu filho.

Nossa decisão foi pautada pelo Juninho. Eu percebi, como pai, a situação dele e falei para o Wagner Ribeiro e para o seu Zito, no Santos, que queríamos voltar. O Wanderley Luxemburgo também queria que o Juninho ficasse. Ele havia trabalhado no Real Madrid, em 2005, e estava justamente no Santos, em 2006. Ele ligou para o Wagner e convenceu o presidente Marcelo Teixeira a apostar na permanência do Juninho na Vila.

Não havia dinheiro em Madri e no mundo que comprasse a felicidade do meu filho.

Nós também tínhamos certeza de que teríamos novas propostas durante a carreira. Não era a hora. Não era o lugar. Não era o momento. Entendi, também, que Neymar Jr. precisava amadurecer em Santos, atuando no futebol brasileiro. Um dia iria para a Europa e aprenderia bastante. Mas ele precisava crescer na nossa casa, no nosso país.

Muitas pessoas nos ligaram e vieram conversar com a gente, especialmente comigo. Perguntaram se eu estava louco, delirando por não ter aceitado uma proposta da Europa. Muita gente teve a convicção de que nós havíamos perdido a oportunidade de nossas vidas. Só que muitos não entenderam que ela já havia sido dada por Deus. Desde que fez nascer esse menino...

Mas, claro, para isso, para poder permanecer no Santos, era preciso negociar uma situação melhor para nós.

Falamos, então, com o presidente Marcelo Teixeira. Ele nos chamou na Universidade Santa Cecília, em Santos. Conversamos e deu tudo certo.

Aos treze anos, o Neymar Jr. já era um jogador iniciante bem-sucedido. E por dizer não ao Real Madrid, estávamos felizes em casa. Podíamos sair da nossa casinha em Praia Grande e comprar um apartamento melhor. O Santos era mesmo a nossa casa. O primeiro apartamento que compramos foi na frente do clube.

> Aos treze anos, o Neymar Jr. já era um jogador iniciante bem-sucedido. E por dizer não ao Real Madrid, estávamos felizes em casa.

Foi um grande acerto para nós. Somos gratos a todos que intercederam e nos ajudaram. Em especial ao seu Zito. Agora, para falar a verdade, quando o Juninho assinou aquele contrato, lá na mesa da nossa casinha na Praia Grande, eu esperava que o seu Zito pagasse um rodízio na churrascaria para a gente, em nome do clube. Mas sabe como é, né... Ele, mão de vaca, só comeu as empadinhas que tinham sobrado do aniversário do Juninho! Nada de uma carninha. Ele resolveu atacar as empadinhas para agradar minha patroa.

Grande Zito! Um amigo querido para todos nós. Mesmo quando ele fala que se jogasse contra o Neymar Jr. hoje, ele... Bem, melhor não publicar essa parte...

EU SOU NEYMAR JR.

Quando estou com meus amigos, vejo que ainda tenho alma de criança. Claro que tenho responsabilidades profissionais. Claro que sou pai de família desde os dezenove anos. Mas me sinto, muitas vezes, uma criança crescida. Morrendo de saudade de jogar bola na rua, dar risada com os amigos, jogar video game. De um tempo muito gostoso que, graças a Deus e a meus pais, consegui aproveitar bastante.

Nasci simples e vou morrer assim. Na mesa, gosto do mais básico. Bem brasileiro: arroz, feijão, bife, batata frita e farofa. Precisa mais? Ah, sim. Adoro bolacha, desde criança. Sorvete, então... No meu escritório, consegui uma geladeira daquelas de padaria cheia de sorvete, só para se ter ideia.

Já no guarda-roupa, gosto de ficar mudando. E aproveito para mudar cabelo, chuteira, acessórios... tudo. Mas tem uma coisa que não presto muita atenção: uniforme. Não guardo minhas camisas. Prometo sempre para amigos e acabo não ficando com elas. Quando não esqueço mesmo. Se não fosse minha equipe, tinha até perdido o uniforme que vesti na minha apresentação no Barcelona. Se não pegassem minha roupa depois que troquei, tinha deixado tudo lá no vestiário do Camp Nou. Aliás, não só roupa. Troféu também eu esqueço muito. O que ganhei na Olimpíada de Londres, em 2012, como destaque do torneio, eu acabei esquecendo dentro do armário do meu quarto no hotel. Esqueci outro troféu na Argentina, na Copa América. Sou assim, meio desligado mesmo.

Só não me desligo da minha paixão. Vivo futebol 25 horas por dia. Batendo uma bola ou vendo a bola rolar. Gosto de rever o que fiz em campo para corrigir erros e me espelhar nos acertos. Também adoro ficar vendo lances de outros jogadores para tentar imitá-los. Curto muito assistir às exibições de *freestyle*[1] para desenvolver alguns lances e dribles. E lembro bem vários lances de muitos jogos que fiz. Acho muito importante a gente recordar jogadas, gols, partidas. Serve para crescer. Para aprimorar.

Enfim, minhas paixões são sempre as mesmas desde garoto. Não sou do tipo que fica mudando de paixão. Na hora de relaxar, na folga, minha alegria depende do futebol. Se meu time perde ou se não joguei bem, fico na minha em casa. Procuro jogar sinuca, video game ou baralho. Desde que eu fique no meu canto, sossegado. Se meus amigos não estão pessoalmente comigo em casa, estamos juntos on-line jogando video game. Melhor mesmo, nesses momentos, é ficar na boa, em paz.

Agora, se meu time ganha... Aí é alegria geral. Gosto de sair para dançar com os amigos. Só para me divertir na boa. Ouço e curto tudo: funk, pagode, sertanejo, black music, gospel. O que vier. Adoro música e não vivo sem. Tenho uma tia que é cantora e um tio que também

1 *Freestyle* é uma modalidade do futebol em que o jogador realiza diversos truques com a bola, inclusive equilibrá-la em partes variadas do corpo. (N.E.)

trabalha com música. Meu avô, minha avó, lá em casa é todo mundo musical. O pessoal gosta de samba, de pagode. Eu amo tudo isso.

Eu e a galera do tóis. Muita gente pergunta como surgiu essa coisa do "é tóis". Foi um parceiro nosso, cunhado do Gabriel, lateral do Internacional. Ele começou brincando que tudo era "tóis" em vez de "nós". Começou de brincadeira, e meio que virou um lema de nossa turma. Tudo "é tóis", agora, porque soa bem. É zoeira, mas pegou. Todo mundo gostou.

> Começou de brincadeira, e meio que virou um lema de nossa turma. Tudo "é tóis", agora, porque soa bem.

Agora, o que nem todo mundo gosta é da minha vocação para cantor. Canto mal para caramba. No karaokê, eu quebro muito. Mas, no fundo, não tô nem aí. Canto mesmo! Os incomodados que se mudem. Pena que sempre tem um monte de gente que sai de perto mesmo.

Também adoro viajar. Visitar outros lugares, conhecer outras culturas. Mas, para ser sincero, da viagem em si eu não gosto muito. Ficar muito tempo dentro do avião não me agrada nem um pouco. Você anda para lá, para cá, e parece que não sai do lugar. Não tenho paciência. Gosto mesmo é de dormir quando entro em um avião. Durmo feito anjo. Teve uma vez que pegamos uma turbulência brava, o avião chacoalhou todo. Tinha gente rezando, gente chorando. E eu dormindo, numa boa. Suave. Aí os caras me acordaram quando estava tudo bem, uns com cara de choro, e eu perguntando o que tinha acontecido. E todos bravos comigo porque eu não estava nem aí com o pavor geral que eles passaram.

Sou sossegado. Também porque tenho amigos maravilhosos para dividir as coisas. Meus parceiros de sempre. Alguns eu acabei conhecendo faz uns quatro, cinco anos apenas. De infância mesmo, jogando desde pequenininho, desde a escola, são poucos. A gente acaba perdendo o contato naturalmente. E, como minha vida está muito corrida, acabo não tendo tempo de rever todo mundo que eu gostaria. Mas os amigos que eu tenho hoje são muito importantes para mim. Amigos leais, para toda hora. Estão sempre comigo. E eu sempre tento estar com eles. Nas boas e nas más horas.

Adoro contar piada. Sei umas muito boas. Mas meus amigos dizem que meu repertório é fraco e repetido. É que eles estão sempre comigo. Acabam ouvindo algumas histórias iguais. Outra coisa que gosto de fazer é, de vez em quando, sair pedalando pela orla de Santos. Enfio um boné na cabeça e ando de bicicleta. Algumas vezes fui treinar no C.T. pedalando a minha bike. Quando as pessoas me reconhecem, têm muito respeito e carinho. Assim como no dia que eu estava com um carrinho de controle remoto do lado da praia, brincando com os amigos. O pessoal me viu compenetrado na brincadeira e guardou distância e respeito. Isso é muito legal.

Algumas vezes fui treinar no C.T.
pedalando a minha bike.

Também curto tatuagem. Acho que estou perdendo as contas de quantas fiz. Uma vez foi divertido. Fui até um estúdio em Santos, em um shopping, daqueles que têm uma vitrine bem grande. Em pouco tempo, já tinha uma multidão vendo o que estavam fazendo comigo. É gostoso esse carinho. Embora não seja muito gostoso fazer uma *tattoo*... Mas vale pela mensagem. Tenho tatuado no meu braço "Davi Lucca" e a data do nascimento dele, 24 de agosto de 2011. Tenho também o "*blessed*", quase na minha nuca. Tatuei "Nadine", minha mãe, no braço esquerdo, e "Rafaela", minha irmã, no direito; "Deus é fiel" está no pulso esquerdo; "ousadia" está tatuada um pouco acima do tornozelo esquerdo, na parte de trás; e "alegria" na perna direita, na mesma altura; tenho uma coroa também no braço direito, tenho um coração e o símbolo de infinito; tenho "Coríntios 9:24:27". É claro que uma das minhas tatuagens, que fiz no peito, tinha que ser uma homenagem ao meu grande ídolo: meu pai.

JEITO MOLEQUE?

Humildade é tudo na vida. Por isso eu sempre procurei orientar o Neymar Jr. nessas coisas que vão além do jogo. Ele até tem um visual bastante ousado. Mas eu sempre coloquei seus pés no chão. Quando ele era mais jovem, segurava mais ainda. Agora que é um adulto, pai de família, ele sabe as escolhas que faz. Mas, desde criança, e com o grande assédio que sempre teve no Santos e até de outros clubes, sempre tratei de evitar que ele usasse muita coisa espalhafatosa, em campo e fora dele.

Sempre tive a rédea curta. Esse é o dever de um pai. Dizer não, muitas vezes, é uma grande prova de amor. Não existe amor maior que o amor de pai e de mãe. Nós gostamos de nossos filhos antes mesmo de eles existirem. Podemos deixar de ser qualquer coisa nessa vida, mas jamais deixamos de ser pais.

Ninguém quer proibir o filho simplesmente por proibir. Não é isso. É a experiência que conta muito. O Juninho não vê problema algum em colocar um brinco e, como ele diz, "caprichar no visual". Eu acho que esse visual, digamos, mais ousado pode chamar mais atenção que o futebol dele, e esse não é o melhor caminho. A qualidade de um profissional é medida pelo desempenho em campo e também pela imagem que ele passa.

Ter personalidade é muito bom. O que não pode é ser personalista. Individualista. Isso ele aprendeu desde criança. Também por isso ele consegue se dar bem em um esporte coletivo. Nunca quis ser mais que ninguém. Nunca se achou mais que qualquer companheiro ou adversário. Isso é fundamental na profissão e na vida.

Sempre passei esses valores para ele. Um bom puxão de orelha consegue reverter algum mau caminho eventual. Desde os jogos de futsal e de futebol de campo na Baixada, indo e voltando de ônibus, às vezes na minha moto, eu sempre conversei muito com o Juninho. Como havia sido a conduta dele, o que ele tinha de fazer com a bola, o que ele não podia fazer. Sempre analisava o antes e o depois dos jogos, e a atuação dele. E eu nunca alisava. Nunca falava apenas a parte boa. Ser pai também é isso. Não é só cafuné. É fácil só dar carinho. É preciso, de vez em quando, dar uns carrinhos para mostrar os caminhos.

Nem sempre a gente ganha. Mas ninguém pode se dar ao luxo de jogar tudo no lixo atuando com displicência, ou sem a seriedade necessária. Ninguém pode entrar em campo com o espírito do "já ganhamos". A arrogância é a pior maneira de se perder uma partida. Em qualquer campo da vida.

Nunca me esqueço de quando trabalhava na CET e, em uma escala, tive de fazer a limpeza do banheiro feminino. Não era para aquilo que eu havia sido contratado no concurso. Não era aquilo que eu gostava de fazer. Eu gostava de trabalhar com carros, não com banheiros. Mas botei na cabeça que tinha de deixar tudo brilhando, tudo lindo, limpo e arrumado. Caprichei e me esforcei muito. Tanto que teve supervisor que não queria mais que eu saísse dali. Queria que eu continuasse limpando os banheiros da companhia, depois de uma semana de serviço. Quase que viro chefe do banheiro.

> A arrogância é a pior maneira de se perder uma partida. Em qualquer campo da vida.

Claro que não era o que eu queria. Nada contra quem faz isso, muito pelo contrário, tenho humildade e respeito todos os profissionais. Mas eu queria outras coisas. Para alcançar meu objetivo, eu precisaria realizar da melhor maneira possível aquele trabalho. E, para mostrar serviço, eu tinha de fazer tudo muito bem. Isso sempre foi um objetivo de vida. Quero sempre dar o meu melhor. E passo isso para meus filhos.

Em uma das atividades de treino, aos sete anos, no Gremetal de Santos, o Neymar Jr. fez uma jogada e chutou com a canhota, a perna mais fraca dele. O chute saiu todo torto. Aí o Betinho chamou a atenção dele e pediu para que o Juninho, numa situação como aquela, puxasse sempre a bola para o pé bom, o direito.

Com todo respeito ao Betinho, eu pensei justamente o contrário naquela situação. E falei para o Juninho:

– Filho, chuta com a perna em que cair a bola. Não tenha medo de chutar com a perna ruim, com a canhota. Chuta uma vez, duas, três, até acertar, até ficar firme, forte. Até a perna ruim ficar boa. A perna ruim também aprimora a perna boa, filho.

Depois eu conversei com o Betinho. Falei para ele insistir para o Neymar Jr. chutar com a perna ruim também. Não importava que o chute saísse torto, sem direção, sem força. A hora para aprender era aquela, com sete, oito anos. O que não podia era ele se esquecer de aprimorar, de aprender. Ele não podia deixar de tentar, de arriscar em campo. E também na vida.

O Betinho sempre foi tão bom e tão humilde professor que não só acatou o que eu achava bom para o meu filho, como passou a adotar a mesma estratégia para todos os meninos dele. Sou dessa tese até hoje. Com uma intervenção na medida certa, com o toque correto, é capaz de você mudar uma trajetória, uma atitude, um pensamento.

O Juninho passou então a treinar mais a perna esquerda. A arriscar mais a finalização de canhota. Errou muitas outras vezes. Até começar a errar menos e a acertar mais. Como deu para ver na decisão da Copa das Confederações, em 2013. Aquele gol contra a Espanha nasceu de um belo passe do Oscar, no Maracanã. E aquela pancada no ângulo do Casillas, com a perna esquerda, também começou naqueles treinos e jogos com o Betinho, no Gremetal. Quando o treinador permitiu que ele arriscasse mais chutes com o pé esquerdo, ainda criança.

O professor, o mestre, o mentor, o instrutor, o cara que ensina é essencial. Para contribuir ainda mais com o Juninho, em 2009, prestei vestibular e entrei na faculdade de Educação Física. Eu queria aprender e tentar ensinar mais coisas do futebol e do esporte para o Juninho. Para poder acompanhá-lo melhor. Não basta ser pai, é preciso participar. É preciso ir além.

Ah, claro, e ter paciência com quem cobra demais do seu filho. Ou entende de menos de futebol... Quantas vezes não tive de contar até um milhão em jogos em que criticavam nosso time? Cornetar faz parte do futebol. Mas tem vezes que não dá para aturar algumas coisas. Que meu filho é "pipoqueiro" ou coisa do tipo. Eu tenho de tolerar, mas não é fácil. Sempre pedi ao Juninho para que ele não fugisse do jogo, que se movimentasse bastante em campo. Ele sempre fez isso. Até quando não joga bem, ele não deixa de jogar o jogo dele. De correr atrás da bola, de dar opções aos companheiros.

> Cornetar faz parte do futebol. Mas tem vezes que não dá para aturar algumas coisas.

Eu defendo mesmo quem eu gosto. Não só por ser meu filho. Eu defendo quem joga bola. Teve uma partida da penúltima passagem do Giovanni pelo Santos que um torcedor berrou que ele era "lento". Eu não aguentei e discuti. Numa boa, sem violência. Mas não aguentei. Como pode dizer que um craque como ele é "lento"? Foi um dos maiores jogadores que vi no Santos. E foi uma enorme alegria quando o Juninho jogou contra ele, pelo Mogi Mirim. No final do jogo, meu filho foi encontrar com o Giovanni. Foi muito bacana ver aquele encontro de gerações.

Para mim, então, que comecei a ver meu filho levar jeito para a coisa enquanto o Giovanni brilhava no Santos, na Seleção e, depois, no Barcelona (olha só...), era ainda mais emocionante. Nessas horas eu me lembrava de cada jogo do Juninho atuado pela base do nosso Santos. Jogos em que havia dez, doze torcedores rivais, e só eu e o meu amigo dos tempos da CET, o Zeferino, para torcer pelo time. O Zé tinha um bar na frente da companhia. Também havia jogado bola quando mais jovem. A gente ficou mais próximo por causa do futebol. E ainda mais próximo para poder ficar mais perto do Neymar Jr. onde ele fosse atuar pelos times de base do Santos.

Eu não perdia um jogo e o Zeferino estava sempre comigo. Ele me levava a todos os campos de São Paulo. Saíamos cedo. Alguns jogos começavam às nove da manhã. E nós sempre lá, ao lado do Juninho. Pertinho, no alambrado. Nunca perdemos um jogo por chegar atrasado. Algumas vezes chegávamos antes do ônibus da delegação do Santos. Quando não abríamos o estádio. Eu não marcava bobeira, cinco da manhã já estava ligando para o Zeferino não se atrasar. Até porque nem sempre a gente achava fácil o estádio. São Caetano, Mauá, Barueri... A gente se perdia, nem as pessoas da cidade sabiam onde eram alguns campos. Mas a gente ia. Só a gente ia. Muitas vezes torcendo pelo Santos só tinha eu e o Zeferino. Porque a gente sabia, eu e ele, que o Juninho ia virar jogador. Dos bons.

A ESTREIA

Até a estreia pelo Santos, em 7 de março de 2009, pelo Campeonato Paulista, meu pai dizia que o Juninho era o filho dele. Depois daquele jogo contra o Oeste de Itápolis, no Pacaembu, meu pai disse que passou a ser o pai do Neymar Jr. Segundo ele, esse é seu maior orgulho. Havia me levado até o profissional. Agora era comigo para fazer o que ele não conseguiu como atleta profissional.

Sei que é exagero de pai, que pelo filho faz tudo – como ele faz mesmo tudo e muito mais, por mim e pela minha irmã. Mas também sei que a estreia tirou um enorme peso dele. E, claro, de mim. O fato de eu ter ficado no Santos três anos antes, com treze anos de idade, foi um presentão. Mas tinha muito papo, muita cobrança, muita expectativa. Toda a onda da mídia. A esperança do santista com a nova geração, depois de Robinho e Diego. Por mais que eu me preparasse desde os onze anos para esse dia (e sonhasse com ele desde que era ainda mais menino), uma coisa é saber que uma hora eu começaria. Outra, mesmo, é quando a plaqueta é levantada no Pacaembu, e eu entro em campo com a camisa do Peixe.

Quando comecei, pela imensa expectativa que se criou, tudo era festa. Mas, a partir do momento em que entrei no time, vindo do banco de reservas, a responsabilidade já era outra. Para mim. Para os companheiros, a comissão técnica e a diretoria. Para a imprensa e a torcida. Para os adversários. Para todos: "Vamos ver se esse Neymar Jr. é tudo isso mesmo que falam".

Não é tão fácil assim. Passou a ser mais difícil ainda para mim. E também para o meu pai. Desde então, tem jogo em que ele não se conforma quando alguém me critica exageradamente, pegando apenas questões pessoais, sem tocar em problemas técnicos ou táticos. Ele é assim. Sempre foi. Inclusive com os torcedores do Santos. Acho que todo pai é assim em relação ao filho. Ainda mais um filho tão exposto antes mesmo de começar a atuar como profissional.

A partir do momento em que entrei no time, vindo do banco de reservas, a responsabilidade já era outra.

Sem comparar ao incomparável Pelé, mas já comparando, meu pai lembra que nem o Rei, quando estreou, teve tanto assédio da imprensa como eu. Nenhum outro atleta nascido na Vila Belmiro estreou com tanta expectativa à sua volta. Depois de eu não ter acertado minha transferência para a Espanha em 2006, o pessoal meio que já sabia quem eu era. E todo jogo da base eu tirava pelo menos uma foto com torcedor. Não era normal para a minha idade. Mas fui me acostumando. Acabava o jogo pelo Santos no sub-13, sub-15, eu encostava no alambrado para falar com meu pai e sempre tinha alguém querendo tirar uma foto comigo.

Esse carinho de muitos facilitava e abria portas. Mas futebol sempre tem momentos difíceis – como a própria vida. E o Santos passava por um período de reconstrução em 2009. Ficava mais complexo estrear. O treinador Vagner Mancini fazia apenas seu quinto jogo pelo clube. Ele tinha começado bem, pois vínhamos de uma vitória contra o São Paulo por 1 a 0. Não ganhávamos um clássico havia nove meses. Desde 2000, não conseguíamos derrotar o São Paulo no Paulistão. As coisas começavam a dar certo. Foi nesse jogo que eu comecei a sentir o carinho da torcida. Eu estava no banco durante a partida e as pessoas que estavam no estádio pediam para eu entrar em campo. Foi uma emoção sem tamanho!

Por tudo que eu e minha família tínhamos passado, a estreia foi muito mais uma vitória do que um peso, um fardo. Por isso, fui com enorme felicidade a campo. Com meias cinzas, muito bonitas, aliás. Era um sábado à noite. O jogo começou às 19h10. Entrei no segundo tempo, aos quinze minutos, substituindo o meia colombiano Molina. Tinha quase 24 mil pagantes. Um grande público, como sempre acontece quando o Santos joga na capital. E a torcida me incentivou desde o início. Foi demais! E poderia ter sido ainda melhor porque, logo na primeira bola, consegui chutá-la na trave. Quase! Mas, tudo bem. Muito mais importante que um gol meu foi nossa vitória. Vencemos por 2 a 1. Depois que saí do Pacaembu, por mim, voltava para Santos e ia bater uma bolinha com os amigos. Tinha me divertido na estreia. Era o que mais importava.

Depois do primeiro jogo, era hora de disputar a primeira partida em nossa casa, na Vila. Empatamos com o Paulista por 1 a 1. Entrei no segundo tempo, no lugar do zagueiro Domingos. Fiz uma boa partida. Mas ainda faltava o primeiro gol. E o primeiro jogo como titular.

Passada a emoção da estreia e também da primeira partida na nossa casa, eu tinha um objetivo: fazer um gol. O primeiro de muitos com a camisa do Peixe. A minha camisa. A do meu time. E aconteceu em 15 de março de 2009, um domingo à noite, no Pacaembu. Eu tinha dezessete anos. O Ganso fez o primeiro gol da partida contra o Mogi Mirim. O pessoal na imprensa ainda o chamava de Paulo Henrique. Numa bola espirrada, ele fez 1 a 0, aos doze minutos do segundo tempo de um jogo que estava bem difícil.

> Por tudo que eu e minha família tínhamos passado, a estreia foi muito mais uma vitória do que um peso, um fardo.

Com a partida mais sob controle, o Roni, uma figura, fez gol de cabeça, aos 23 minutos. Aos 27, ocorreu outra boa jogada nossa pela esquerda: o Roni cruzou para o meio da área. Eu apareci livre e, de peixinho, mergulhei para fazer de cabeça meu primeiro gol no profissional do Santos. 3 a 0! Eu, magrelo de tudo, com a bela camisa branca de número 7. Número que eu vestia desde o comecinho, na base do Santos. Até o dia em que o professor Lima me perguntou sobre o número de camisa que eu gostaria de vestir. Falei que era a 11. O número do Romário na Seleção e na maioria dos clubes em que ele brilhou. É até engraçado. Quem ajudou a definir o número da camisa que eu usei mais vezes no Santos foi justamente o jogador que mais números de camisa vestiu; meu pai sempre falou muito bem do Lima, que era um jogador muito moderno, que jogava de meia, de volante, de lateral, em praticamente todas as posições, com todas as camisas possíveis. Foi ele quem acabou me dando a 11 santista.

Um pouquinho antes de eu me destacar no time profissional, meu avô foi para o céu. Seu Ilzemar era fanzaço do Pelé. Desde criança, eu sempre gostei de ver vários vídeos do Rei. Lances, jogadas, gols, celebrações. E meu pai sempre comentava do soco no ar. Foi a deixa. Levantei e não tive dúvida: soquei o ar! Não dá para comparar ninguém com o Pelé, mas ao menos eu pude homenagear meu avô com esse gesto na comemoração. Mais ainda: pude fazer feliz meu pai e a memória do meu avô. O gol era mais deles do que meu. O gol era do Santos.

> Passada a emoção da estreia e também da primeira partida na nossa casa, eu tinha um objetivo: fazer um gol.

Graças a Deus, ao meu avô e ao meu pai, esse gol seria o primeiro de muitos. Todos os gols dão uma sensação inexplicável ao jogador. Seja o gol que decide um jogo ou campeonato, o gol em clássico, o gol de honra em uma derrota, o golaço, o gol sem querer, o gol de canela, com qualquer pé, a qualquer momento. Não tem gol feio. O Dario Maravilha, grande artilheiro do futebol brasileiro nos anos 1970 e 1980, falava uma frase que meu pai adora: "Não tem gol feio. Feio é não fazer gol".

É isso. Não tem coisa mais gostosa para o torcedor. E todo jogador também já foi torcedor. Ou continua sendo, como é o meu caso. Continuo aquele cara da arquibancada. Mas, agora, estou em campo. E posso fazer gol. Quando faço, fico tão feliz que saio celebrando como louco. Corro até mais na comemoração do que no próprio jogo. É fantástico. Quero celebrar sempre. Mas sempre com muito respeito pelo adversário e pelos torcedores de todos os times.

Não quero imaginar como será meu último gol. Nem contra quem, quando será, por quem será. Até porque, talvez, eu nem tenha noção, na hora do gol, de que ele será o último. Mas, naquele primeiro gol, eu sabia o que estava acontecendo. Ainda hoje me faltam palavras para descrever aquele momento e agradecer ao apoio de todos que estiveram comigo naquele dia no Pacaembu.

Como diz um amigo da família, naquele primeiro gol, meu pai não estava "sorrindo com a voz" quando eles se falaram por telefone, ainda no Pacaembu; meu pai estava mesmo "gargalhando pela voz" com meu primeiro gol.

FOME DE GANHAR

Uma das psicólogas que trabalharam com Neymar Jr. disse que, além do talento, ele tem algo que os grandes atletas têm de ter: uma motivação enorme. Um prazer gigantesco de jogar futebol. De ganhar jogos e a vida correndo atrás da bola. Juntando o talento que Deus lhe deu à força de vontade natural dele, além da alegria de jogar e de querer ganhar, ele tem tudo para ser um sucesso.

Juninho tem grandes mestres que o inspiram: Messi, Cristiano Ronaldo, Robinho, Ronaldo, Xavi, Iniesta, Rivaldo, Romário, Zidane. E outros tantos nomes, além desses craques. Sei que muitos também o tomam como exemplo. Por isso ele precisa sempre estar muito bem preparado em tudo. O que no caso do meu filho não é difícil. Porque tudo que ele faz em campo é feito com alegria e amor.

Trabalhar muito não cansa quando se faz o que gosta. E ele não se cansa de treinar e de jogar futebol. Mesmo tendo mil atividades, naturais para alguém da idade dele e necessárias para um profissional, o Juninho é o primeiro a aparecer para treinar. Está sempre disponível e disposto. Não apenas para aperfeiçoar novos lances, dribles e finalizações. Ele fica no gramado porque é ali que ele se sente bem. É no campo de jogo que o Neymar Jr. se sente absoluto. Ele sabe que ali, no campo, pode dar o máximo que tem dentro de si. Nos treinos ou nos jogos oficiais, é no futebol que ele encontra uma segunda casa.

> Trabalhar muito não cansa quando se faz o que gosta.

Não tem aquela conversa de que "treino é treino, jogo é jogo". Para o Juninho, treino é jogo. Jogo é tudo. Não é guerra, que não é para isso e nem por isso que ele vive. Não é assim a nossa vida. Temos de batalhar, suar, fazer e dar o máximo. Mas sem atacar os outros. Temos que fazer nosso trabalho da melhor maneira possível. Sempre pedi a ele que deixasse o treino e o jogo exausto. Que sempre desse tudo em cada coisa que fizesse. Falo para o Juninho para ele dar uma de "louco" em cada jogo, em cada lance. Se a partida está parada, se ele está parado, que trate de se mexer, de correr de um lado para outro.

Tem muita gente que acha que o Juninho se joga muito no gramado, cai muito. Mas, às vezes, ele precisa pular para não ser quebrado. Graveto no ar não se quebra. É o preço que se paga por ser atacante. A marcação é sempre dura. Mas é bom dizer que isso só acontece com a bola rolando. Porque, antes do jogo, naquele cumprimento entre os atletas depois do hino nacional e da apresentação dos times, todos os jogadores adversários e os árbitros confraternizam com o Neymar Jr. Todos respeitam não somente o talento e profissionalismo dele, mas também a humildade.

O sucesso não subiu à cabeça do meu filho. Na cabeça dele pode ter vários cortes de cabelo, alguns até esquisitos. Mas, dentro dela, tem muita responsabilidade. E é assim que se ganha muito mais que títulos e prêmios. O carinho e respeito que os fãs e atletas têm por ele é muito mais importante. Antes de ser um craque, é preciso ser uma boa pessoa. Isso o Juninho, mais uma vez, tenta tirar de letra. Desde menino.

ASSÉDIO

Sempre fui um cara bem tranquilo e sossegado. Meio tímido até. Gosto mesmo é de ficar na minha. Mas preciso aprender cada vez mais a lidar com tudo que vem com a fama. Fico muito feliz por, desde os dezoito anos, ter virado um ídolo de tanta gente e ter atingido a posição que conquistei com a ajuda da família, amigos e companheiros. Faço sucesso e sou reconhecido. Tudo que eu conquistar, nos campos profissional e pessoal, vai sempre depender da minha humildade e da minha dedicação.

Confesso que demorou um pouco para cair a ficha a respeito dessa coisa meio maluca da fama. Para ser sincero, a ficha ainda não caiu. De repente, paro e penso que devo mesmo estar fazendo algo diferente como atleta para tanta gente querer um contato, alguma coisa. É impressionante. E muito gratificante. O que aumenta ainda mais a minha responsabilidade. Cada vez mais preciso me superar para merecer tamanho carinho. Algumas pessoas podem até achar que eu sou uma estrela, só por ser famoso. Mas eu não sou melhor que ninguém.

Realmente tive noção de que as coisas tinham mudado em uma terça-feira, logo no comecinho da carreira, em 2010, saindo do treino no Centro de Treinamento do Santos. Era de tarde. Resolvi ir ao shopping comprar um aparelho de música. Fui estacionar e, quando estava manobrando, alguém me reconheceu. Quando saí do carro, já tinha quase dez pessoas em volta, com o maior carinho e respeito, para trocar uma palavra, dar um abraço, pegar um autógrafo, tirar uma foto. Atendi todo mundo e uma fila começou a se formar ainda no estacionamento. De repente, ficou tudo lotado. Agradeci a todos, enfiei o boné na cabeça, e entrei rapidinho no shopping. E veio gente atrás de mim.

> Algumas pessoas podem até achar que eu sou uma estrela, só por ser famoso. Mas eu não sou melhor que ninguém.

Quando entrei na loja, já estava um tumulto. Os seguranças do shopping e o gerente da loja tiveram de armar um esquema meio em cima da hora. Tiveram de fechar as portas. Comprei o aparelho, e eles deram um jeito de eu sair pelos fundos, por dentro do shopping, não sei como. Eu não estava entendendo muito bem aquilo tudo. Era diferente, mas meio assustador. Algumas meninas choravam muito ao me ver. E tinha um monte de garotinhos com o mesmo visual do meu cabelo. É gratificante esse carinho todo, mas me assustou um pouco naquele momento.

Depois daquela confusão no shopping, um dos seguranças me aconselhou a voltar em outro dia mais tranquilo. E não em um feriado. Eu tinha me esquecido de que era feriado! Pedi para arrumar confusão. Foi a última vez que fui a um shopping sozinho, sem que eu precisasse me preocupar com essas coisas. É um dos preços que a gente paga pelo que faz na vida. Nunca imaginei que isso aconteceria comigo. Com o passar do tempo, a gente vai se acostumando com essa loucura e entende que tudo isso é natural. Faz parte.

Teve um dia que eu estava em um show quando uma mulher me fez um sinal de que gostaria de falar comigo. Em quinze minutos, ela conseguiu pular, não sei de que jeito, para o camarote ao lado do meu e me abraçou. Foi muito engraçado. Uma outra vez, na praia, tentei jogar futevôlei com meus amigos. Foi em janeiro de 2012. O problema é que a linha de demarcação da quadra na praia acabou sendo formada pelas pessoas que estavam assistindo ao jogo. Muita gente! Tiveram de dar um jeitinho para eu sair da praia.

Uma noite, fui ao *drive-thru* de uma lanchonete. Abaixei o vidro do carro um pouco antes do caixa, e uma mãe que estava em uma festa infantil lá dentro da loja me reconheceu. Em segundos, já tinha gente dos dois lados do carro. Principalmente crianças de uns nove anos. Dei um monte de autógrafos e posei para um monte de fotos. Foi divertido. Ao menos para mim. Não para a fila enorme de carros que se formou. Então, educadamente, tive que sair daquela sessão improvisada de autógrafos e seguir para pegar meu lanche.

Também entendo o outro lado. Jamais vou esquecer o dia em que conheci o Rei. Eu estava dormindo na concentração, em 2009. Acordei com o maior burburinho. Ouvi o Triguinho, nosso lateral-esquerdo, falando alto: "O Pelé tá aqui!". Levantei rápido e saí correndo ao lado do André, meu parceiro e centroavante. A gente queria chegar perto do Pelé. Quase que a voz não sai. Foi emocionante! Ele é rei em tudo. Atende a todos muito bem. Conversa como se conhecesse cada um. Tem sempre uma palavra amiga. Ele parece até que não é deste mundo. É o Pelé!

MARCAÇÃO CERRADA

Falo brincando para o Juninho que, até os trinta anos, eu vou ficar na cola dele. A marcação vai ser cerrada! Depois, homem feito, ele pode fazer o que quiser. Mesmo que agora ele seja pai, cada vez mais maduro e consciente, ainda é o meu filho.

Neymar Jr. sempre foi muito assediado pelas crianças, pelos homens e, claro, pelas mulheres. Além de se preparar para ser um bom jogador, ele precisou, digamos, treinar bastante para driblar o assédio e os anseios femininos. Não foi fácil. Não é fácil. Mas o menino tira de letra sempre.

Tenho de estar na cola dele. E delas. Nem sempre consigo. Mas sempre falei para o Juninho: "Filho, primeiro você conquista tudo que você quer, tudo que você sonha, tudo que você deseja em campo. Dê importância aos seus sonhos profissionais. Depois você pode aproveitar a vida mais sossegado". E ele aprendeu.

Fui jogador de futebol. Vi muita coisa e sei como é isso. No meu tempo, o assédio era bem menor em cima do jogador. Se o Neymar Jr. jogasse na minha época, ele seria o mesmo craque. Mas o assédio seria diferente. Especialmente o feminino.

Mas o assédio também tem um lado muito bom. Sobretudo o carinho das crianças. Teve uma vez que um menino de onze anos estava com tumor cerebral. O grande sonho dele era conhecer o Neymar Jr. Meu filho foi até o hospital e foi aquela festa. O Juninho até chorou. Hoje, passado algum tempo, o menino já se recuperou. O bacana disso tudo, além da recuperação da criança, é que o Neymar Jr. não promoveu a história. Não jogou para a galera, não fez marketing. Foi lá porque quis. Foi lá porque é uma boa pessoa e podia levar alegria para um ser humano indefeso e doente.

Se o Neymar Jr. jogasse na minha época, ele seria o mesmo craque. Mas o assédio seria diferente.

Como todo pai, eu me preocupo também em relação a bebidas e outras substâncias. Mas nisso estou tranquilo. Não é do feitio e nem da índole do Juninho buscar coisas proibidas. Ele não consome nada errado. Não ingere bebida alcoólica. É um garoto de ouro também nisso. Tem consciência do que pode e do que não pode ser feito.

O atleta profissional acaba amadurecendo mais rapidamente tanto no aspecto físico quanto humano. O Neymar Jr. não é diferente. Tudo para ele foi precoce. Até mesmo a paternidade. Mas uma criança é sempre uma ótima oportunidade para o amadurecimento. Como ele é sossegado, daquele tipo que só faz bagunça em casa, e uma bagunça sadia, fica mais fácil.

Eu tive um privilégio divino que é ter um casal de filhos. Dois filhos maravilhosos que são meus tesouros. Em todos os sentidos. O orgulho que tenho pelo Juninho e pela Rafaela é o mesmo de qualquer pai que tem amor por suas crianças. Sou muito grato por ser pai de pessoas tão especiais e conscientes.

Eu só gostaria de passar mais tempo com minha filha. Mas, por enquanto, isso ainda é difícil. Foi uma opção que tivemos de fazer. A Rafaela tem uma participação importante no sucesso do irmão, porque ela conseguiu absorver positivamente a situação. Mesmo pensando "Poxa, meu pai está viajando de novo com o Juninho", ela teve maturidade para compreender e conviver com tudo isso. É uma das maiores torcedoras do Neymar Jr. É uma craque na convivência com um irmão famoso. É uma pessoa especial. Eu e a Nadine somos abençoados por ter filhos como eles.

AFIRMAÇÃO E APRENDIZADO

Paulistão 2009

Meu primeiro grande desafio como profissional foi logo no primeiro mês. No Pacaembu, contra o Corinthians. Com Ronaldo Fenômeno em campo. Um dos meus maiores ídolos atuando no outro time. O maior artilheiro de todas as Copas do outro lado. O cara que eu tentava imitar os dribles, os gols e até o corte de cabelo na Copa de 2002. Sete anos depois, logo depois do hino nacional, o Fenômeno veio falar comigo. Me deu um abraço. Me deu muita força, carinho e respeito.

Não jogamos uma boa partida. Perdemos por 1 a 0. Depois, o Santos acabou se recuperando na tabela e na competição – ainda que só tenha se classificado para a fase decisiva com uma vitória incrível sobre a Ponte Preta, marcando os dois gols decisivos nos oito minutos finais de jogo, na virada por 3 a 2, e dando mais força ao time, que entrou com tudo e eliminou o Palmeiras, que vinha de melhor campanha na fase anterior. No primeiro jogo, na Vila, vitória por 2 a 1, de virada. Fiz um belo gol. Recebi do Roberto Brum na entrada da área e bati no contrapé do Marcos logo no começo do segundo tempo. Golaço.

Foi um lance que aprendi com meu pai quando tinha uns dez anos. Dentro da área, eu e o zagueiro, o jeito é chutar embaixo das pernas dele. Ele me falava: "Balança na frente do zagueiro; ele vai abrir as pernas e aí você mete no meio das canetas". Nunca vou esquecer quando deu certo pela primeira vez, ainda nas categorias de base da Briosa, a Portuguesa Santista. Depois que saiu o gol, corri para o alambrado para agradecer ao meu pai e falar que tinha dado certo. Como deu contra o Palmeiras, na Vila. Na partida de volta, nova vitória santista. Mais uma vez, 2 a 1. Jogo que teve confusão, expulsão, mas nós aguentamos muito bem no Palestra Itália.

Na decisão, na Vila Belmiro, no primeiro jogo, o Ronaldo foi realmente um Fenômeno e praticamente decidiu o título para eles. No Pacaembu, no jogo de volta, ficamos no empate por 1 a 1. O Santos foi vice-campeão paulista. Para um time que começou desacreditado naquele campeonato e para o meu primeiro torneio com apenas dezessete anos, a experiência foi ótima.

Já o segundo semestre daquele ano não seria tão bom. Foram muitas trocas de treinadores e acabei indo parar no banco. O Santos foi o 12º colocado ao final do Brasileirão. Joguei pouco. Não apenas por escolha do treinador, mas por que essas fases são assim mesmo. É nessa hora que é preciso ter muita paciência e humildade.

2010 – A odisseia na Vila

Foi um ano marcante para mim, quando me firmei profissionalmente com um dos melhores elencos em que joguei. Eu estava feliz dentro e fora de campo. A alegria que eu tinha em jogar futebol, de estar concentrado, jogando e convivendo com aquele grupo era indescritível. A gente transformava todo aquele astral em jogadas bonitas, vitórias e goleadas.

Ganhamos tudo naquele primeiro semestre. Jogávamos ao mesmo tempo com alegria, mas também com responsabilidade e seriedade. Eram muitas brincadeiras na concentração e até dentro de campo a gente brincava quando dava. Um dava risada do outro, era muito legal. A gente tinha muita confiança naquele time. Mas não que a gente fosse metido, não era isso. A gente tinha noção quando entrava em campo. O grupo sabia e falava assim: "Pô, hoje vamos ganhar!". E dava certo. Essa confiança contagiava. E com os talentos do elenco ficava mais fácil.

Era um ambiente bom e ficou maravilhoso mesmo com a chegada da Europa de um dos meus maiores ídolos: o Robinho. No momento em que eu vi o Robinho chegando na Vila Belmiro, sendo apresentado pelo Santos, com a casa cheia, eu não acreditei. Falava: "Pô, Robinho jogando comigo, meu ídolo!!! Eu o via jogar da arquibancada, pela TV". Eu nunca me imaginei jogando com o Robinho no Santos. Aprendi muito com ele em todos os campos. A gente criou uma amizade muito forte. Foi fantástico! Um dos melhores anos da minha vida. Porque estávamos felizes, jogávamos felizes e conseguíamos dar muitas alegrias à torcida e a quem gosta de futebol.

Nosso time tinha uma defesa muito boa: o Rafael no gol, Pará, Edu Dracena, Durval e Leo segurando a bronca lá atrás. Eles falavam para a turma da frente: "Deixa com a gente aqui atrás". O Arouca e o Wesley tomavam conta do meio, correndo para tudo quanto é lado. Lá na frente era eu, o Ganso, o Robinho e o André. O Ganso com seus passos geniais, eu e o Robinho fazendo fumaça, driblando para lá e para cá, e a bola sobrando como sempre para o André. Eu sou um fã do André por ele ter a inteligência de se posicionar dentro da área para concluir a jogada. A gente fazia a jogada e, sem olhar, já jogava a bola e sabia que ele estaria lá. Ele sempre estava lá. Quando a coisa estava difícil, a gente chutava, a bola não entrava, mas o André sempre estava lá para fazer o gol.

> No momento em que eu vi o Robinho chegando na Vila Belmiro, sendo apresentado pelo Santos, com a casa cheia, eu não acreditei.

Era assim que funcionava o nosso time. Uma alegria só. Até quando eu não jogava. Teve um jogo contra o Ituano que foi assim. Eu e o Robinho estávamos fora da equipe. Eu estava nos Estados Unidos e falei com o pessoal antes da partida e pedi: "Pô, se fizer um gol, faz homenagem para mim, faz a estátua da Liberdade e tal". E o Madson: "Não, pode deixar, vamos fazer, vamos fazer". Aí o time saiu perdendo. E eu fiquei bravo, acompanhando o jogo lá de Nova York. Quando saí de onde estava, o Santos já havia se recuperado e estava 3 a 1 para a gente. Foi aí que o André e o Ganso me ligaram. Eles estavam dando entrevista naquela hora. A gente começou a brincar um com o outro e eles me contaram que o Madson fez a comemoração. Foi muito legal. Nesse momento, eles me avisaram que estávamos ao vivo, para eu não falar nenhuma bobagem e poder comemorar o que eles tinham feito no jogo. Foi 9 a 1 para o Santos!

Aquele ano inteiro foi assim. Nem sempre goleando, mas quase sempre vencendo. Ganhamos o Paulistão em dois jogos muito difíceis contra o Santo André. Depois, ganhamos a Copa do Brasil em duas pedreiras contra o Vitória. No primeiro jogo, na Vila Belmiro, vencemos. Mas eu perdi um pênalti com a mesma cavadinha que tinha dado certo outras vezes. Pensei: "Pô, vou cavar porque o goleiro vai escolher um dos cantos para pular". Já que era uma final, eu não imaginava que ele ia ficar parado sem escolher um canto. Tanto que eu cavei a bola e vi que ele estava parado. Pensei na hora: "Caramba! Não tem como voltar no tempo, não?".

> Era assim que funcionava o nosso time.
> Uma alegria só.

Foi muito difícil, pois, depois da cavada, todo mundo na Vila Belmiro começou a me vaiar. Quando eu pegava na bola, a torcida gritava "Uhhh"... Mesmo a torcida do Santos. Então, eu pensei: "Cara, eu tenho que ajudar, tenho que fazer alguma coisa". E eu já tinha feito um gol! Estávamos vencendo. Não foi fácil. A gente até ganharia o título no jogo de volta, no Barradão, empatando por 1 a 1. Mas, na Vila, naquela hora, só queria saber de corrigir meu erro, minha infelicidade. Acabei não conseguindo fazer mais nada. Foi uma das poucas vezes em que fui vaiado na nossa casa. E numa decisão de campeonato! Doeu muito. Mas serviu de aprendizado.

Neymar Jr. durante o jogo Santos X Peñarol pela final da Taça Libertadores 2011.

DANTE FERNANDEZ/STR/GETTY IMAGES

Neymar preocupa o time do Paulista

A boa atuação do jogador no primeiro turno, quando o União venceu por 2 a 1, chamou a atenção

O atacante Neymar deve ser a maior atração do União/UMC contra o Paulista, domingo em Jundiaí. O jogador, que atuou pelo time jundiaiense na última temporada, é considerado pela Impresa local o mais perigoso da equipe mogiana. No União, a maior preocupação é com o trabalho de bastidores do adversário. A diretoria já está tomando providências para evitar que a o alvirubro seja prejudicado.

A boa atuação de Neymar no jogo do primeiro turno, quando o União venceu o Paulista por 2 a 1, no Nogueirão, fez com que as atenções da imprensa de Jundiaí voltassem todas para o atacante. Por sua vez, o jogador demonstra não dar importânica para este fato. "Estamos preocupados em fazer uma boa apresentação em Jundiaí e dar a vitória ao União", afirmou. Neymar espera casa cheia e um jogo difícil no domingo. "Eu conheço bem aquela cidade e sei que eles vão fazer de tudo para torcida comparecer", disse.

Neymar alertou quanto a dificuldade que o time mogiano terá em relação a arbitragem. "Lá não vai ser fácil, temos que ter cuidado para que não prejudiquem nosso time", afirmou. "Temos que achar um meio de neutralizar isto", completou. O técnico Paulo Comelli reforçou as palavras de Neymar. "Desde que assumi o União, nós fomos prejudicados em quase todos o jogos", reclamou Comelli, "Já alertei a diretoria sobre este problema e ela vai tomar providências", completou.

Em Jundiaí, o jogo está tomando dimensões de decisão. A diretoria do Paulista está promovendo várias atrações para promover a partida e estimular a ida dos torcedores. No intervalo da partida serão sorteados brindes e na entrada dos jogadores serão distrubuidas camisetas. Até cheques pré-datados, para 30 dias, serão aceitos na compra de ingressos. O lateral-esquerdo Albéris, contundido, já é desfalque certo no time jundiaiense. O substituto imediato, Marquinhos, foi expulso no último jogo. Na posição entrará o jovem Pipoca, de 16 anos.

Arquivo

CONHECIDO - *O atacante Neymar esteve emprestado pelo União/UMC a equipe jundiaiense na última temporada*

Neymar acidentado

Neymar, ponteiro direito da equipe profissional do União, sofreu um acidente automobilístico batendo seu Monza. Está sob observação médica. Possivelmente não jogará no próximo domingo, aqui, contra o Central Brasileira. Sua esposa e filho, que o acompanhavam na oportunidade, passam bem, tendo sofrido pequenas escoriações.

Neymar foi muito bem contra o Matonense, tendo sido o autor do tento de empate do alvirrubro. O jovem ponteiro vem agradando de jogo para jogo. Tem, inclusive, anotado tentos decisivos para a sua equipe. O moço, sem favor nenhum, tem sido no campeonato da Divisão Intermediária deste ano o melhor atacante unionista, com exibições regulares e sempre de alto nível. Esta coluna lamenta o acidente e espera que a recuperação desse excelente atleta seja a mais breve possível.

Neimar acertou e deve estrear com a 7 do Cori em Apucarana. P. 20.

Neimar foi um dos artilheiros da competição, com 9 gols

União 0 x Corinthians 0

Os cerca de sete mil torcedores que ontem foram assistir o amistoso entre SC Corinthians e União FC saíram do Estádio Cavalheiro Nami Jafet sem ver nenhum gol. Mas assistiram a um bom espetáculo. O atacante Viola, mesmo entrando no segundo tempo, foi o jogador mais aplaudido da noite. No entanto, o prêmio de melhor jogador ficou com o ponta direita Neimar, do União.

Na primeira foto, Neymar atuando pelo Operário de Várzea Grande. Na segunda, Neymar Jr. comemorando aniversário com a mãe Nadine.

Acima, momentos da infância de Neymar Jr., sua irmã Rafaela e o pai.

CBF
FIFA

ALEX LIVESEY - FIFA/GETTY IMAGES

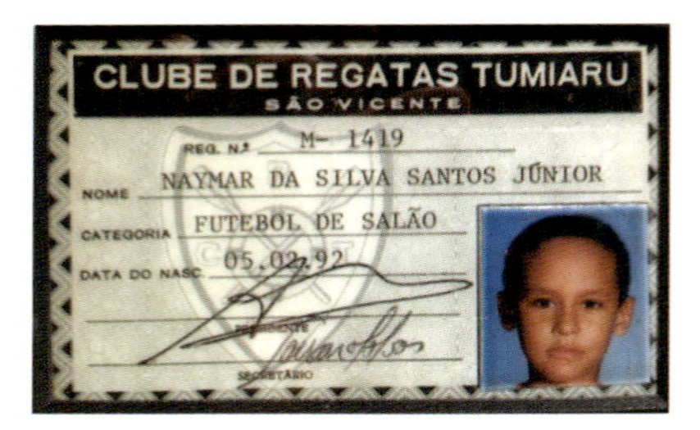

As primeiras carteirinhas
de Neymar Jr.

Momento descontraído
entre pai e filho.

Pai e filho sempre juntos...

Abaixo, Neymar Jr. emocionado após o nascimento do filho Davi Lucca. E ao lado, durante um treino no C.T. do Santos.

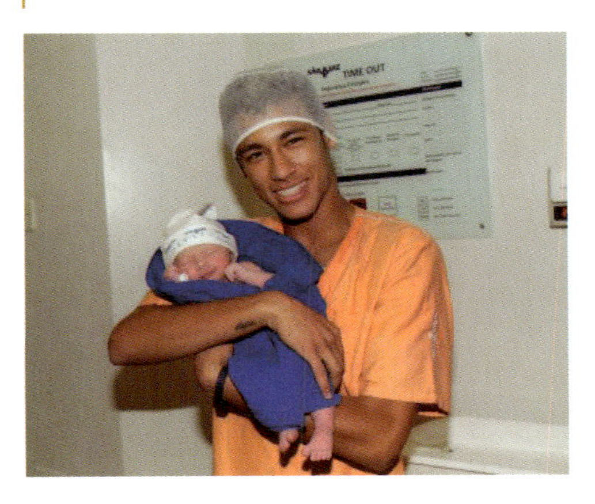

Neymar Jr. durante a apresentação à torcida do Barcelona, em 2013.

MENINOS DA VILA 3.0

Eu era um ponta-direita mais de força que de grande técnica nos anos 1990. Também porque peguei um outro tempo no futebol. Quando havia muita gente com um futebol mais refinado, mais plástico, bonito mesmo de ver jogar. Quando era maior a diferença técnica entre os atletas. Dificilmente um jogador de divisão intermediária, de clubes brigando pelo acesso, chegava à elite. Por isso, passei muito tempo ao largo dos grandes clubes. Não havia o que se vê hoje, com o nível técnico mais próximo entre clubes e atletas. Hoje, quem sabe, até poderia pintar uma vaguinha, uma brecha, para um jogador como eu. Mas, antes mesmo de eu virar jogador, não tinha nem como chegar perto. Imagine: jogar onde atuaram craques técnicos como Aílton Lira (do meu Santos) e Dicá (da Ponte Preta, que também teve rápida passagem na Vila Belmiro) – jogadores até um pouco mais lentos, mas tão talentosos que superavam qualquer problema.

Vi muitos desses mitos jogarem, e eles foram fundamentais em uma grande conquista do Santos. Em 1978, o Aílton Lira, um armador mais experiente, junto ao veterano Clodoaldo, ajudou a formar uma grande equipe na Vila Belmiro. Pita, Juari e grande elenco fizeram parte do Santástico, o Show da Vila, campeão paulista. Em 2002, Robinho e Diego acabaram com o jejum de títulos e conquistaram o Campeonato Brasileiro. A diretoria investiu pesado e montou o Centro de Treinamento da base que, não por acaso, foi chamado de Meninos da Vila. Como a turma de 1978. Como viria a ser a nova turma de 2010. Neymar Jr., Ganso, André e o retorno de um já não tão menino, mas sempre moleque de espírito, o Robinho.

O Santos fez um baita investimento e foi plenamente recompensado. Ganhamos o Paulistão de 2010 e a Copa do Brasil logo depois da Copa do Mundo. Tudo com a ajuda do Robinho. E, claro, do ótimo time montado pelo Dorival Júnior. Com o Neymar Jr. em grande fase, cada vez mais maduro, e com o Paulo Henrique, agora definitivamente chamado de Ganso, jogando o fino da bola.

Foi então que meu filho ganhou mais espaço. Ele também ganhou mais peso, altura e mais fios de barba. Ainda era um menino e acabava de completar dezoito anos. Mas já com a responsabilidade de um homem. Era só alegria!

Ficou muito mais fácil a caminhada e a trajetória do Santos em 2010, com a chegada do Robinho ao clube. Os meninos tinham com quem dividir a responsabilidade, para quem tocar a bola quando o jogo estivesse difícil.

Logo na estreia do Robinho, em Barueri, em 7 de fevereiro, vencemos o São Paulo por 2 a 1. Ele entrou faltando meia hora para acabar o jogo, mas ainda com tempo de fazer um golaço de letra no Rogério Ceni. O goleiro são-paulino ficou muito bravo naquele jogo. Começando pelo gol que o Neymar Jr. fez, de pênalti, de paradinha. Rogério, que é um mito, um excelente goleiro e batedor de pênaltis, irritou-se com a cobrança do Juninho, que foi absolutamente legal. Não entendi. Mas faz parte do jogo.

Nesse Paulistão de 2010, o Juninho teve a felicidade de marcar gols em todos os clássicos. Perdeu pênalti contra o Corinthians, na Vila. Mas fez um golaço logo depois, na vitória por 2 a 1. Nesse jogo teve a polêmica do chapéu que ele deu no zagueiro Chicão, com a bola parada. Era para ganhar um tempinho.

Claro que ele deu uma exagerada, admito. Mas isso não era motivo para falarem o que falaram depois do jogo. Que meu filho era metido, mascarado. O Juninho quis apenas fazer uma graça. Como vários atletas fazem. Muitos, inclusive, daquele elenco. Mas futebol é assim mesmo. Quando se ganha, tudo é um espetáculo. Quando se perde, tudo é motivo para desculpa e polêmica. Não só eles, do time rival, são assim. Nós também. Não existem santos no futebol. Quer dizer, existe o Santos Futebol Clube. E está bom demais!

Nas semifinais, duas belas vitórias contra o São Paulo. Foi 3 a 2 no Morumbi, na primeira partida. Estávamos ganhando por 2 a 0 no primeiro tempo. Demos mole, eles empataram, mas o Durval conseguiu desempatar no final.

Na volta, na Vila, 3 a 0 para nós. O segundo gol foi do Juninho. De novo de pênalti contra o São Paulo. De novo com paradinha contra o Rogério. O gol selou a vitória e a classificação para mais uma decisão paulista. E foi gostoso ouvir a galera gritando "Ão, ão, ão, Neymar é Seleção!".

Justiça seja feita, todo o elenco estava jogando muito. Robinho, André, Marquinhos, Arouca, Wesley. Sem contar o Ganso. Muita gente na mídia pedia a convocação dele e a de Neymar Jr. pelo técnico Dunga para a Copa de 2010. Não custava sonhar. Sonhar meus sonhos e os do meu filho. Trabalhamos muito para realizar esses sonhos. Como aconteceu com o título do Paulista.

Justiça seja feita, todo o elenco estava jogando muito.

Duas partidas no Pacaembu. O adversário era o Santo André. Eles saíram na frente. Mas viramos para 3 a 2 no final, em grande atuação do André. Juninho saiu no intervalo, com um problema na visão. Ele não fez um grande jogo. Nosso time, mesmo com a vitória, também não.

Na finalíssima, no outro domingo, tínhamos a vantagem. Sabíamos que o jogo seria duro. Mas não tão difícil como foi. Com 25 segundos de jogo eles já estavam ganhando. Neymar Jr. empatou aos três minutos, num belo lance. Faria outro gol, em grande jogada do nosso time. Mas fomos perdendo gente expulsa e acabamos derrotados por 3 a 2. Só não perdemos o título porque o Ganso pegou a bola para ele, ganhou tempo e nos ajudou a ganhar o Paulistão. O treinador queria tirá-lo de campo; ele não quis sair e comandou a equipe tão debilitada e desfalcada. Resultado: o Santos era mais uma vez campeão.

Como santista de berço, estava muito feliz, claro. Mas, por ter no elenco alguém que veio do berço da minha família, honestamente, não consigo descrever a emoção. Foi um jogo muito difícil. E haja coração para descrever a emoção de ver meu filho recebendo a medalha de campeão paulista, dando a volta olímpica no Pacaembu com a camisa que foi de Pelé, de Pepe, de Zito, de Clodoaldo, de Carlos Alberto Torres, de Pita, de Juari, de Serginho Chulapa, de Paulo Isidoro, de Robinho, de Diego, de tantos craques e de tanta gente que fez história na Vila Belmiro! No Pacaembu. No Morumbi. No Maracanã. Em muitos estádios de todo o mundo.

Agora, meu filho também estava nessa história multicampeã. E o que era ainda melhor: era a primeira de muitas conquistas. Eu tinha a convicção de que aquele time faria muito mais. Mas, honestamente, não esperava tanto. E tudo aconteceu logo depois.

O título paulista deu muito moral para o jovem elenco santista. Não dá para esconder que, como torcedor do Brasil e do Santos e, claro, como pai do Juninho, fiquei triste e decepcionado pela não convocação do Neymar, e também do Ganso, para o Mundial de 2010 na África do Sul. Entendo que o treinador tinha suas escolhas, seu grupo fechado. Isso é muito importante no futebol. Até o Pelé e o Zico defenderam o chamado deles. O Messi, vejam só, estranhou a não convocação dos meninos. Mas não teve jeito. Tivemos de respeitar.

Depois da dor que foi perder a Copa do Mundo, pelo menos o torcedor santista teve uma alegria logo depois, com a conquista da Copa do Brasil. Uma competição que o Santos merecia vencer depois das goleadas obtidas nas primeiras fases. Na Vila Belmiro, logo de cara, o Santos fez 10 a 0 sobre o Naviraiense. Dois gols foram do Neymar Jr. Depois o time seguiu bem e goleou o Remo por 4 a 0 em Belém e cancelou o jogo de volta. Mais dois gols do meu filho. Na fase seguinte, outro resultado impressionante: 8 a 1 no Guarani, na Vila. O Juninho jogou demais. Marcou cinco dos oito gols! Pareciam aqueles resultados do Santos de Pelé. Mas agora era o Peixe de Neymar Jr. e companhia.

Nas quartas de final, depois de uma derrota para o Atlético Mineiro por 3 a 2, uma grande vitória em casa por 3 a 1, com um gol do Neymar Jr.! Na semifinal, outra pedreira. Derrota para o Grêmio, em Porto Alegre, por 4 a 3. Mas, na volta, o time de Dorival Júnior foi muito bem. Ganhou por 3 a 1 e se classificou para a grande decisão.

No primeiro jogo, na Vila, ótima vitória por 2 a 0. Com Neymar Jr. perdendo pênalti, mas marcando outro gol. Pena que, muitas vezes, o que fica é o que é menor. A polêmica do pênalti que ele bateu dando uma cavadinha e que o goleiro do Vitória defendeu sem se mexer foi o assunto mais comentado. O treinador falou bem a respeito disso, depois da partida: "Se saísse o gol depois desse tipo de cobrança, o Neymar seria irreverente; como ele perdeu o pênalti, agora ele é irresponsável". É bem isso...

Na volta, na finalíssima no Barradão, o capitão Edu Dracena marcou um belo gol de cabeça e o Santos conquistou o título que faltava na sua rica galeria: campeão da Copa do Brasil! Outra conquista muito celebrada por todos nós. Foi a consagração de um time ainda muito jovem, mas ótimo. O título deu aos meninos e a muita gente a sensação de que havia possibilidades do futebol brasileiro se recuperar rapidamente. Era só fazer as escolhas certas.

Um time que, em apenas seis meses, marcara 130 gols na temporada 2010. Um time que estava jogando demais com o Neymar Jr., o Ganso, o Robinho, o Marquinhos, o André, o Arouca, o Wesley. E com a defesa segurando tudo lá atrás.

Mas ainda tinha muita gente criticando a equipe e meu filho. Dizendo que o time exagerava em firulas e o Juninho, nas quedas. Eu não via isso, não. Enxergava muito mais uma prova de que o time e o Neymar Jr. estavam no caminho certo. Fazendo a trajetória para sonhos que iam além do título paulista e da Copa do Brasil.

Foi muita emoção para um coração de pai. Um coração de torcedor. Um coração de jogador. O Neymar Jr. vem da arquibancada. Vem da base. Da escolinha. O Juninho é filho de Peixe. E peixinho ele é. Santista, sim senhor! Ele saiu do Santos. Mas o Santos nunca vai sair dele. É o berço dele. A Vila Belmiro é a nossa casa.

EU FICO

Lembro como se fosse hoje. Era 23 de agosto de 2010, eu e meu pai tivemos uma reunião com o presidente Luis Álvaro, lá na sede do Santos, na Vila Belmiro. O Chelsea tinha feito uma proposta grande pelos meus direitos federativos.

No meio da conversa, o presidente apagou a luz e apontou uma cadeira vazia:

– Essa é a cadeira do grande ídolo esportivo nacional. Desde a morte de Ayrton Senna ela está assim, vazia. Se o Neymar Jr. ficar no Santos e recusar a proposta do Chelsea, dará o primeiro passo para sentar-se nela.

Isso balançou a gente. Era o pontapé inicial do "Projeto Neymar". Uma sacada bem bolada e bem trabalhada que até ganhou prêmio de marketing. Uma ideia do meu pai que queria um projeto para não só bancar a minha permanência no Santos, mas ajudar também a minha família e os meus projetos que vão além do futebol. Aquilo mexeu com a gente. Dá até para dizer que mexeu geral com o futebol brasileiro. Nunca havia sido feito nada parecido para manter um atleta no país. Algo que acabaria sendo ótimo para todo mundo. Não apenas pelo que ganhamos. Mas por tudo que ajudamos a trazer para o Santos e para o futebol brasileiro.

Todo mundo estava muito tenso naquela reunião. Porque ali estava o meu futuro. Aquela decisão seria um divisor de águas em minha vida, fosse ela qual fosse. Na sequência, o Pelé ligou. Olha que moral! O Rei ligando para mim e pedindo para eu permanecer em Santos. No Brasil. Ele me lembrou de toda a carreira dele construída na Vila, dos cinco títulos mundiais pela Seleção e pelo clube, e de todo o reconhecimento que tinha conquistado. Claro que era outra época, outro mundo, outro futebol. Mas tudo isso pesou na minha decisão e na do meu pai. Não tive dúvidas. O "não" que dissemos em 2006 para o Real Madrid, repetimos quatro anos depois para o Chelsea.

Não foi fácil. Mas, de novo, fomos felizes com nossa decisão. Fizemos o certo em termos de família, amizade e carreira. Ajudamos a criar ainda mais raízes na Vila Belmiro, a trazer mais dinheiro e torcedores para o Santos, e até a recuperar a estima do futebol brasileiro. Fico feliz por ter participado disso tudo com meu pai e com a direção do clube. De novo, pensamos mais na minha felicidade e desenvolvimento como atleta do que no dinheiro. Eu não me vendo por dinheiro. Claro que ele ajuda, mas não é ele quem manda na minha vida. Não é ele quem determina a minha carreira. É Deus. São meus pais. Tenho os pés no chão e a cabeça no lugar. Foi com ela que decidimos ficar na Vila em 2010.

Eu não me vendo por dinheiro. Claro que ele ajuda, mas não é ele quem manda na minha vida.

No Brasileirão, na sequência, confesso que não fomos tão bem. E teve também a saída do Robinho, que precisou voltar para a Europa. Acabamos o torneio na oitava posição. Ainda assim, marquei dezessete gols e fui vice-artilheiro do campeonato. Para muita gente, porém, o que ficou daquele campeonato foi o problema que tive com nosso treinador, o Dorival Júnior, em uma partida contra o Atlético Goianiense, na Vila Belmiro, em 15 de setembro.

O placar era de 3 a 2 para o nosso time quando tivemos um pênalti a favor. Eu vinha treinando e batendo nossos pênaltis, embora tivesse perdido alguns. O treinador pediu para o Marcel cobrá-lo. Discutimos por conta disso. O capitão Edu Dracena também entrou na parada. Foi feio o negócio, mas foi do jogo. No vestiário, o clima continuou quente. Eu me exaltei e ele também. Mas acabamos fazendo as pazes ali mesmo. Ele me chamou na salinha dele, falou o que tinha que falar, e nos resolvemos. Já estava tudo certo quando o auxiliar do Dorival recomeçou a discussão. O que estava numa boa voltou a ficar pesado. Acabou não ficando legal no final das contas e eu fui punido. A direção do clube queria que essa punição fosse por apenas uma partida. O treinador quis mais jogos. Eles acabaram se desentendendo e, logo depois, a diretoria acabou demitindo o técnico.

Não sou de polêmica. Quando entro em alguma, é muito mais por algo que faço em campo que por alguma coisa que falo ou faço fora dele. Jamais trabalharia contra um profissional, ainda mais um superior na hierarquia. Acato as ordens. Cheguei até onde estou também por isso. Mas, no jogo, no calor da disputa, às vezes me excedo. Perco a cabeça.

Lamentei muito o episódio e a saída de um treinador com quem fui campeão estadual e nacional e que me ajudou muito. Mas não guardei mágoas. Nem eu nem ele. Tanto que, em novembro de 2010, quando já dirigia o Atlético Mineiro, fiz questão de dar um abraço e um beijo nele. O Dorival é uma grande pessoa.

Na vida e no futebol, estamos juntos para fazer amigos, não inimigos. Até mesmo amigos de outros clubes. Rivais mesmo. Como o Paulinho, volante do Corinthians, meu companheiro de Seleção. Um grande amigo e que joga no maior rival. Qual é o problema?

No caso da discussão que tive com o Dorival Júnior, não teve nenhum problema. A não ser um monte de gente vendo o que não existe, inventando teoria que não acontece na prática. Mas esse é outro peso da fama. É outra coisa que preciso aprender a driblar. Algo que, diferentemente dos meus dribles, não ensaiei na sala de casa quando era moleque.

Sei que errei feio nessa história toda com o Dorival. Foi um dos piores dias da minha vida. Eu não era aquilo que havia passado para as pessoas. Eu precisava melhorar muito. Crescer bastante. Amadurecer ainda mais. Mas aprendi. Tanto no aspecto pessoal como no profissional. Naquele pênalti, eu só queria ajudar o time. Não foi individualismo, foi só nervosismo exagerado da minha parte. Acabei brigando não só com o treinador, mas com outras pessoas, com meu capitão. Acabei me sentindo muito mal com essa demissão. Cheguei a achar que eu era o culpado. Mesmo com todos falando que não era isso, fiquei com a sensação de culpa. Também pela pessoa legal que é o Dorival.

Sei que errei feio nessa história toda com o Dorival. Foi um dos piores dias da minha vida.

Foi o dia que mais chorei. O que mais fiquei arrasado. Meu pai estava doente aquele dia. Saí do clube e fui para casa. Ele e minha mãe choravam. Ela já tinha chorado na hora do jogo, quando me viu naquela situação. Ela disse que aquele não era o filho que ela educou. Não era o Juninho que ela conhecia. Isso pesou muito. Pesa ainda hoje. Fiquei ainda mais arrasado quando ouvi isso. Mas me ajudou a crescer, a me fortalecer. E a não cometer mais o mesmo erro.

Nos dias seguintes, era triste ligar a televisão. Ver você sendo chamado de monstro, todo mundo te metendo o pau, falando mal. Foram noites horríveis. Eu pedia perdão a Deus toda hora, todos os minutos. Se não fossem meus amigos, minha família, eu acho que eu não estaria aqui hoje. Com certeza eu teria abandonado o futebol.

Meus amigos, mais uma vez, foram muito parceiros. Eles me deram apoio e me ajudaram, como a minha família. Eu não queria sair, e eles ficaram comigo. Meus amigos são muito leais. Eles são verdadeiros irmãos. Uma padaria perto de casa colocou uma faixa pesada contra mim. Os caras queriam tirá-la de lá na raça. Mas eu fui contra, porque o torcedor sempre pode se manifestar.

Aprendi com a dor. E também muito com o amor das pessoas queridas. Um erro nunca se justifica. Meus pais sempre me ensinaram a não ficar procurando explicações para as falhas, mas a buscar aprender e melhorar. Além de manter a calma. Na hora do fogo, no momento em que falho, quem vai me ajudar é a família. A minha torcida mais fiel. O meu primeiro time.

O ANO DE 2011

Paulistão

Era maio de 2011. Segunda partida da decisão do Paulistão. Aos 38 minutos do segundo tempo, o Juninho pegou com jeito uma bola na esquerda. O goleiro deles, Júlio César, não conseguiu segurar e ela foi entrando bem mansinho na meta de fundo da Vila Belmiro. Parecia um filme de longa-metragem. Melhor, parecia uma trilogia de filmes. Mas, de verdade, era apenas o segundo capítulo da série do tri paulista.

Adilson Batista deixou o clube logo no começo do trabalho, pouco depois da volta do Neymar Jr. da Seleção Brasileira Sub-20, campeã sul-americana no Peru. Mal teve tempo de trabalhar com Adilson e o treinador já deixava a Vila. Essas coisas que acontecem no futebol brasileiro.

Não foi uma conquista fácil para o Santos. Ficamos muitas partidas sem o Paulo Henrique Ganso, que se recuperava de uma cirurgia no joelho. Ele jogou apenas oito partidas no Paulistão. Mas bastava uma delas com ele em campo para ver a diferença. Um craque.

Robinho não estava mais jogando em 2011. Por isso a diretoria foi buscar outro grande campeão da turma de 2002 a 2004. O Elano chegou da Europa e entrou no time como se não tivesse ficado todo aquele tempo fora da Vila Belmiro. Jogou o fino. Ele ajudou muito dentro e fora de campo com sua experiência. Foi como um irmão mais velho para o elenco.

Nas primeiras seis rodadas do Paulistão, o Juninho estava com o Brasil Sub-20. O Ganso estava se recuperando de uma lesão. Fomos líderes. Ganhamos quatro jogos e empatamos dois. Fazíamos uma média de três gols por jogo. Mas depois a coisa desandou. Só ganhamos três partidas em seis depois daquela boa sequência inicial. Empatamos na Venezuela na estreia da Libertadores e o Adilson saiu. Também porque nunca teve o time completo para escalar. O auxiliar Marcelo Martelotte entrou bem no time, como interino. Com ele o Santos ganhou seis jogos. Empatamos um e perdemos apenas três até a chegada do Muricy.

Ele já tinha o Ganso entrando em ritmo. Colocou o Danilo no meio-campo, protegeu mais a defesa, e achamos o jeito de não deixar nossos rivais jogarem. Só tivemos todos os titulares presentes nas quartas de final do Paulistão, quando ganhamos da Ponte Preta.

Na semifinal, em um jogo único, o São Paulo vinha badalado e babando contra a gente no Morumbi. Mas, numa tarde muito feliz para o público santista – especialmente para meu filho e para o parceiro Ganso, que jogaram mais à frente praticamente como atacantes –, matamos os adversários com uma grande vitória por 2 a 0.

Era mais uma decisão paulista. O problema é que o Santos vivia dupla jornada. Libertadores e Paulistão. O Ganso nem terminou o primeiro tempo da primeira partida da decisão no Pacaembu. Empatamos sem gol contra o rival alvinegro paulistano. Sem gol e sem Ganso. Também porque as traves não deixaram. Neymar Jr. quase fez um gol no Pacaembu, naquele domingo à tarde.

Um jornal publicou no dia seguinte: "Neymar X Rapa". Não foi assim, é exagero da imprensa. Mas foi quase isso. Eles contaram pelo menos sete grandes jogadas do meu filho: duas bolas na trave, uma série de dribles, fintas, corta-luz, inversões de bola e grandes arrancadas. Naquele dia, ele jogou realmente muito bem. Como gente grande, ainda que tão menino.

Mas todo o time jogaria melhor na decisão, em nossa casa. Quando fomos bicampeões paulistas, na Vila Belmiro. Foi inesquecível. Com nosso último gol marcado por meu filho. Celebrando mais um recorde santista: nenhum clube paulista desde 1902 conquistou mais vezes seguidas o campeonato estadual que o Santos. Foi o nosso sexto bicampeonato. Ser campeão não é fácil. Ser bicampeão é ainda mais difícil. Sobretudo se você não é santista. Agora, ser tricampeão da América...

Santos: o campeão da Libertadores

Que emoção como torcedor e como pai! Eu não tinha visto meu time ser campeão da Libertadores em 1962, contra o Peñarol. Eu não tinha visto o bicampeonato da América, em 1963, com aquelas feras todas comandadas pelo Pelé, contra o Boca Juniors. Agora, porém, eu podia bater no peito e encher a boca com orgulho. Eu vi o Santos tricampeão da Libertadores! Eu vi meu filho fazendo festa no meio do gramado com a equipe tão bem comandada pelo Muricy Ramalho!

A imagem é muito bonita. Está no filme oficial do centenário do clube. Os jogadores no campo em festa, os torcedores cantando e o Juninho ajoelhado no gramado erguendo os braços para cima na celebração da Libertadores. Foi lindo ver aquele mar branco iluminando o Pacaembu. Santos tricampeão da América!

Bordamos nossa terceira estrela americana com uma grande campanha. E com uma ótima atuação na partida decisiva contra o Peñarol. No jogo de ida, em Montevidéu, sofremos bastante. Eu acho que sofri ainda mais, porque meu filho apanhou muito. Eles tinham um time de bom nível e um clube com muita história para contar e comemorar. Mas nós tivemos mais. Jogamos mais que eles. Essa foi a primeira Libertadores desde Pelé. E com a emoção de ver o nosso Rei no gramado, celebrando ao final dos 2 a 1 como se ele também tivesse conquistado o que já tinha ganhado em 1962 e 1963. Foi emocionante!

Alguns parceiros do meu filho foram muito criticados durante a campanha. E, muitas vezes, injustamente. Zé

Love, por exemplo, era muito importante taticamente para o esquema do Muricy Ramalho. Ajudava muito a equipe, os companheiros. Mas ele era muitas vezes incompreendido pela torcida e pela imprensa. Foi um guerreiro! Superou tudo e foi fundamental. Ele e todo grupo.

Não se ganha um título internacional apenas com o talento de alguns atletas. É necessário ter um elenco forte e com muitas opções para o treinador. Além de uma boa estrutura no clube para a comissão técnica trabalhar. Tudo foi dado para esse elenco pela direção. E eles acabaram retribuindo tudo que receberam deixando para a história mais um título. O tri da Libertadores!

Nossa vitória começou nos pés do meu filho. Uma bela jogada do Arouca desde o meio-campo o encontrou lá na ponta esquerda. Ele só podia bater de primeira, de chapa, antes da chegada do zagueiro uruguaio. Foi o que fez. Foi assim que fez o gol salvador. O jogo estava igual, muito duro. Mas criávamos muito mais oportunidades que eles. Devemos ter tido umas quinze, dezessete chances de gol. Na hora, a gente não conta. Hoje mesmo não tem como contar o que foi aquilo. Mas sempre tem torcedores e amigos para contar logo depois.

A sensação do gol é sempre indescritível. Mas, com menos de vinte anos, marcar o gol de um título que o clube não celebrava havia 48 anos, aí é demais. Mais difícil que mandar a bola para o fundo das redes é arrancar o que a gente pensou e passou naquela hora. Imagino a cabeça do Juninho naquele momento. Eu, sinceramente, não lembro como celebrei no estádio. Eram milhares de corações unidos vibrando. E o de pai, então... Ele só não saía pela boca porque não dava. Honestamente, não sei descrever tudo aquilo. Foi muita emoção para mim e sempre será. Poderão vir outros títulos, e sei que eles virão. Mas esse do Juninho, com a bola que ele e os companheiros jogaram pelo nosso Santos, foi especial.

Eram milhares de corações unidos vibrando. E o de pai, então... Ele só não saía pela boca porque não dava.

Não tenho palavras e nunca vou ter. Campeão da América! E com gol do meu filho! O gol que abriu o placar e nos deu a tranquilidade para ampliar o resultado, como queria o Muricy, e os meninos jogaram para isso. Para delírio do torcedor, aos 23 minutos do segundo tempo: 2 a 0 Santos! Gol do número 22, Danilo. Naquele 22 de junho de 2011, não éramos onze camisas brancas no gramado. Éramos 22 no campo. Éramos todo o elenco. E todo o Santos jogando junto. Remando junto. Não tem jeito. Para ser campeão é preciso estar como estávamos em campo e na arquibancada. Juntos. Compactos. Campeões! Tricampeões!

Mas os adversários eram osso duro de roer. Diminuíram o placar e vieram ainda mais para cima. Os caras tiveram sorte. E também perdemos um saco de gols no contragolpe. Em vez de 2 a 1, poderia ter sido muito mais para nós. O título estava nos nossos pés. Nos melhores pés daquela

Libertadores. Mostramos que dava para ser campeão sul-americano jogando bola. Respondendo com futebol às provocações e porradas dos adversários.

Assim fomos tricampeões. Do mesmo modo que Pelé com seu grande time foi bicampeão. Jogando e ganhando pelo Santos Futebol Clube. Na bola. Sem sacanagem e sem pancadaria. Dando sangue e até perdendo sangue nas divididas. Nunca fugindo delas. Vencemos na grama e sem lama. Mas com muita alma e sofrimento. Eu não vi o gol do Peñarol. Eu estava descendo ao vestiário. Eu só ouvi o grito dos uruguaios. E sofri até o final assistindo por uma TV em uma salinha ali perto. Mal dava para ver direito. Mas deu para celebrar demais no apito final.

Foi uma conquista épica. Para celebrar para sempre. Como foi mesmo uma eternidade o tempo que levei até chegar perto do Juninho. Só para entregar a taça de campeão foram quase quarenta minutos do apito final até o Santos poder erguer o troféu. No vestiário, aquela festa toda, com muita gente, imprensa, entrevista etc. Levou séculos para eu poder abraçar meu filho. Mas, como sempre, logo depois dos parabéns pelo título, eu ainda dei uma chamada nele por algum lance perdido. Do mesmo modo como ele também comentou algumas jogadas que fez errado na decisão. Não adianta. É assim que sou. É assim que somos.

E eu ainda digo que poderia levar mais 48 anos sem título só para ter a alegria que ele e o Santos me deram. Mais uma vez.

Copa América

Pena que, depois da conquista do Paulista e da América pelo Santos, não deu para o Brasil manter o título de campeão sul-americano em 2011. Não fiquei triste com nossa eliminação e nem com o desempenho na competição do Neymar Jr. Fiquei frustrado por termos perdido, claro. Mas o importante é que ele chegou bem na Argentina e voltou ainda mais maduro. Aprendemos muito nas derrotas.

O sonho do meu filho era jogar pelo Brasil. Quando foi convocado pela primeira vez, na estreia do Mano Menezes, em agosto de 2010, contra os Estados Unidos, o sonho se concretizou. Já na Copa América de 2011, no primeiro jogo contra a Venezuela, não foi do jeito que a gente queria. Não jogamos bem. Os meninos jogaram pelo Brasil como estavam acostumados a jogar antes pelo Santos: Robinho, Ganso e Neymar Jr., e mais o Pato na frente. A linha de armação era a mesma que tinha brilhado um ano antes pelo Peixe. Mas, na estreia, também pelo nervosismo, não rolou. O Juninho fez até um bom primeiro tempo e a Seleção Brasileira criou boas chances. Mas, na segunda etapa, todo o time não foi bem. Empatou por 0 a 0.

Contra o Paraguai era a oportunidade da recuperação. Mas fomos ainda pior. Empatamos por 2 a 2. O Juninho deixou o campo vaiado. Preferiu nem dar entrevistas porque estava de cabeça quente. O Jadson entrou no lugar do Robinho pela direita. Ele fez um belo gol de longe no primeiro tempo em que, de novo, fomos melhores. Na segunda etapa, porém, algumas desatenções foram fatais. Meu filho, por exemplo, perdeu um gol. Quando a coisa não sai, como foi o caso, todo mundo cai matando...

Aos 22 minutos, eles viraram o placar. O Mano Menezes trocou o Ramires pelo Lucas, para dar mais velocidade pela direita. O Brasil começou a forçar mais o ataque e a buscar mais cruzamentos. Por isso, o treinador colocou um centroavante como o Fred e sacou o Neymar Jr., aos 36 minutos. E foi justamente ele quem empatou, aos 44 minutos, com um gol típico de centroavante.

Valeu a mexida, mas ainda era pouco. Tínhamos de vencer o terceiro jogo. Eu precisava conversar muito com o meu filho. Ele já havia ouvido vaias, até mesmo xingamentos, atuando pelo Santos. Mas, pela Seleção, a história é mais pesada e difícil. Tem gente que torce por outro clube, que não gosta do Santos, não gosta do Neymar Jr. E acaba descontando mesmo. E muito!

No terceiro jogo, mais tranquilo e confiante, o Juninho e todo o time reencontraram o caminho do gol e da vitória. Robinho voltou ao time. Neymar Jr. e ele se movimentaram muito contra o Equador. Alexandre Pato abriu o placar, mas eles empataram no primeiro tempo, que foi bastante equilibrado. Na segunda etapa jogamos, enfim, parte do que sabíamos. Aos quatro minutos, o Neymar Jr. marcou um gol depois de uma bela assistência do Ganso. Aos treze, eles empataram. Não deu dois minutos, Pato desempatou. Éramos os primeiros colocados do grupo naquele momento. Nosso melhor futebol naquela primeira fase.

Mas tinha mais: Maicon fez grande jogada pela direita e o Juninho marcou seu segundo gol. Fez, então, aquele gesto de apontar para o ouvido. Foi uma provocação mesmo. Ele tinha ficado chateado com as vaias no jogo anterior. Ninguém é de ferro. Ainda mais quando se defende a nossa Seleção. Foi substituído depois e saiu aplaudido. Retribuiu o carinho. Sabe que foi bem. Como também tem plena convicção de quando vai mal.

Nas quartas de final, jogamos outra vez contra o Paraguai. Acho que fizemos nossa melhor partida, mas perdemos muitos gols. O Juninho podia ter feito o primeiro aos três minutos, mas pegou mal um voleio. Teve mais uma chance depois. No primeiro tempo, nossa zaga foi perfeita, jogamos muito melhor, mas a bola não entrou. Na segunda etapa, a mesma história. Meu filho só não marcou um gol em grande lance do Pato no comecinho porque o zagueiro deles salvou. Mas quem estava inspirado era o goleiro Villar. Ele fez uma série impressionante de defesas. E nenhuma precisou ser feita pelo nosso Júlio César. Devemos ter tido umas dez chances de gol e eles nenhuma.

Aos 34 minutos, o treinador preferiu tirar o Neymar Jr. para colocar mais um jogador de área. O Fred entrou na frente, e o Pato recuou para fazer a função dele, pela esquerda. Ninguém gosta de sair do time. Entendo que meu filho podia ter continuado em campo. Foi a melhor partida do Brasil na Copa América. Para não dizer uma das melhores da Seleção naquele período. E também do Neymar Jr. Mas tem vezes que dá tudo errado. Na prorrogação, tivemos mais algumas chances e eles nenhuma. Em 120 minutos, nosso goleiro só bateu tiro de meta. E olhe lá. Nos pênaltis, para fechar um dia de infelicidade e má pontaria, perdemos todos. Três para fora e um defendido pelo goleiro. Não era nosso dia. Não foi nossa a Copa América.

Meu filho ficou abatido. Sabia que podia ter jogado melhor. Sabia que a Seleção podia ter jogado mais. Mas acontece. Na nossa melhor partida, nas quartas de final, paramos nos pênaltis. Quatro desperdiçados. Não é normal. Nunca havia acontecido com a camisa amarelinha. Mas aconteceu. Paciência.

Logo depois da eliminação precoce na Copa América na Argentina, algo maravilhoso aconteceria com meu filho. Se ele não pôde fazer história pela Seleção em 2011, faria algo antológico pelo Santos, no retorno ao clube.

O gol do ano

Faltavam exatos mil dias para a Copa de 2014. Talvez falte muito mais para a gente ver novamente um jogo tão sensacional como aquele. Santos X Flamengo, na Vila Belmiro, pelo Brasileirão de 2011. Nosso time numa fase boa. O Neymar Jr., graças a Deus, em um bom momento. O craque deles também: Ronaldinho Gaúcho.

Deve ter sido a melhor partida do Juninho pelo Santos. Deve ter sido a melhor partida do Gaúcho pelo Flamengo. O resultado mostra o que foi aquele clássico. Abrimos 3 a 0 em meia hora de jogo. Estávamos jogando muito. Eles também. Não vou dizer que o placar era mentiroso, até porque a gente estava vencendo. Mas o Flamengo merecia mais. Tinha criado e perdido chances incríveis. Se estivesse 3 a 2 para nós não seria nenhum exagero.

Mas o Ronaldinho estava com tudo. O meu filho também. Fez naquele dia o mais lindo gol da carreira – e espero que ele faça muitos mais. O gol que, no final do ano, ganhou o prêmio da Federação Internacional de Futebol (FIFA) de mais bonito do ano. O Prêmio Ferenc Puskás. Um grande craque húngaro que brilhou nos anos 1950 e 1960 no Real Madrid. Um cara que sabia armar e também fazer belos gols.

O Juninho narrou assim o gol ao programa *Esporte Espetacular*:

> O lateral-direito deles, o Léo Moura, estava atrás de mim e o volante Williams estava vindo para cima também. Eu tinha de passar no meio deles. Aí puxei a bola e consegui passar. Vi, então, o nosso centroavante Borges. Eu sempre faço um-dois com ele. É um cara muito técnico e inteligente, pensa e joga rápido. Eu toquei e o Borges devolveu para mim. Aí fui carregando a bola, veio o Renato, e eu consegui escorar um pouco. Aí, naquele momento, naquela velocidade, pensei que tinha de passar pelo zagueiro Ronaldo Angelim e a primeira coisa que veio à mente (e aos meus pés) é que eu tinha de dar a meia-lua, o drible da vaca. Aquele que você toca para um lado e sai pelo outro. E deu tudo certo. Na saída do goleiro toquei e saí para o abraço.

Falando assim, parece que não é tão difícil, nem que foi tão bonito. Mas tem certos lances em que o jogador não tem muito tempo para pensar. Ele vai tocando a bola, trocando passes, driblando e fintando os adversários, até a hora do chute. Quando é muito mais jeito que força. Diante de toda aquela adrenalina, o jogador precisa ser ágil e sereno. Não adianta chegar feito louco na hora de concluir. É preciso amadurecer. Olhar o goleiro, os zagueiros, pensar em tudo muito rápido. É uma coisa meio de instinto. Difícil explicar. Você vai lá e faz. Se dá certo, beleza. Se não dá, vamos que vamos tentar mais vezes.

Esse foi um jogo para jamais esquecer, como tantos na história do Santos. O Juninho ganhou até placa do clube, como o Pelé também ganhou a primeira, o famoso Gol de Placa, contra o Fluminense, em 1961. Teve outro jogaço eterno em um torneio Rio-São Paulo que foi do mesmo nível em 1958, no Pacaembu. 7 a 6 para o Santos contra o Palmeiras. Um espetáculo tão impressionante como esse duelo entre santistas e rubro-negros. Um clássico digno de Pelé X Zico. De Neymar Jr. X Ronaldinho Gaúcho. Sem falsa modéstia.

> Esse foi um jogo para jamais esquecer, como tantos na história do Santos. O Juninho ganhou até placa do clube.

Mesmo quando acabamos perdendo um jogo, como foi essa partida contra o Flamengo na Vila Belmiro, em que eles acabaram vencendo por 5 a 4. Mesmo assim, dá para dizer que o grande vencedor foi o futebol. As duas equipes mereciam os três pontos. Ou até mesmo o ganhador merecia levar seis pontos. Foi uma partida inesquecível!

UMA AULA

Foi uma aula de futebol. O Santos perdeu na final do Mundial de Clubes no Japão não apenas para a equipe campeã da Europa em 2011. Perdeu para um dos melhores times de todos os tempos. Até criamos alguns lances na decisão. Mas, como todos os adversários do Barcelona naquele tempo, mal vimos a cor da bola. Sabíamos que seria difícil. O mundo todo dava o favoritismo ao Barcelona. Estávamos bem preparados. Nem confiantes em excesso nem temerosos com a grande qualidade do time deles.

Tentamos jogar. Tentamos fazer o que havíamos feito na conquista do tri da Libertadores. Mas não conseguimos. Messi, Iniesta, Xavi e companhia estavam muito inspirados. Eles nos marcaram muito bem e souberam o que fazer com a bola. Nós, por outro lado, não fomos nem metade do que podíamos ser. E o resultado foi aquele. Para mim, apesar da derrota, foi uma grande lição de vida. Aprendi muito com tudo aquilo.

Vencemos bem o primeiro jogo do Mundial. Vitória por 3 a 1 contra o Kashiwa Reysol, o campeão japonês daquela temporada.

Eu marquei um gol de canhota, de fora da área. Até hoje, ainda não fiz um gol de tão longe com o meu pé esquerdo. Fiz justamente no Mundial.

Não deu para vencer o campeonato, mas um dia vai dar. E, cá entre nós, pelo que a Seleção Brasileira fez na decisão da Copa das Confederações de 2013, um ano e meio depois, contra a base daquele grande time espanhol, é mais uma mostra que cada jogo tem histórias que podem ser reescritas. Nada como um jogo após o outro.

Agora sou Barcelona com o mesmo amor, dedicação e carinho com que vesti a gloriosa camisa santista. Espero aprender na Catalunha muito mais do que aprendi naqueles impressionantes noventa minutos do Barcelona contra o Santos, na decisão do Mundial.

Naquele dia, pude receber o carinho e o respeito de um mito como o Messi. Além do grande futebol dele, da genialidade dentro de campo, a humildade do camisa 10 argentino é admirável. Já foram tantos títulos e troféus, e ele mantém a mesma simplicidade. Ele é um ótimo exemplo. Espero ajudá-lo a conquistar mais títulos como companheiro de clube. E, claro, torço demais para que ele não ganhe mais nada quando jogar contra mim. Ele, pela Argentina. E eu, pelo nosso Brasil.

PAULISTÃO 2012

O Neymar Jr. sempre quer jogo. Não quer saber de folga, de descanso. A alegria dele é a bola. É o futebol. É em campo. Os treinadores e preparadores físicos querem dar um descanso a ele com essa maratona maluca de jogos e treinos, além das viagens e concentrações. Mas ele não quer nem saber. Vai para o campo e para o jogo com tudo. É um exemplo de atleta. Ele tem prazer em treinar e jogar.

O desgaste físico de uma temporada praticamente sem férias, como a de 2011, não o impediu de manter um ótimo nível em 2012. Essa vontade de ganhar também o ajudou a superar problemas e, junto aos companheiros, conquistar o tricampeonato paulista.

Em novembro de 2011, acertamos um novo contrato, e o Juninho permaneceu no Brasil. Um feito para ele, para o Santos e, claro, para o futebol brasileiro. Foi um fato histórico para o Brasil, também. Um sinal para o mundo: podíamos manter atuando no país um atleta como o Juninho.

E ele fez bonito naquele Paulistão. No ano do centenário do nosso Santos Futebol Clube! Ano em que, justamente no aniversário de vinte anos do Neymar Jr., ele marcou o centésimo gol na carreira, em um clássico contra o Palmeiras.

Na semifinal contra o São Paulo, no Morumbi, ele marcou os três gols da vitória por 3 a 1. Incluindo o centésimo dele pelo Santos. Neymar driblou, finalizou, armou... fez de tudo!

Naquele ano, Neymar Jr. foi superando cada um dos recordistas de gols do Santos depois de Pelé. A cada superação, ele imitava os artilheiros superados. Naqueles 3 a 1 contra o São Paulo, imitou o Juari, dos Meninos da Vila de 1978, que fazia gol e ficava correndo em volta da bandeirinha de escanteio. Depois, na decisão contra o Guarani, no Morumbi, ele imitou o Serginho Chulapa, desmaiando depois do terceiro gol, como o Chulapa fizera no gol do título paulista de 1984. O gol de Juninho praticamente encaminhara o terceiro título estadual seguido para o Santos. O que aconteceu no domingo seguinte, no mesmo Morumbi. Nova vitória, dessa vez por 4 a 2.

No fim do jogo, meia hora depois do título, o Juninho ficou driblando repórteres e fotógrafos aos gritos de "olé" no gramado do Morumbi. Disseram que foi marketing. Mas não foi nada disso. Foi coisa de momento. Ele saiu, digamos, fintando a imprensa, e o estádio inteiro caiu na risada. Foi sensacional. Não era presunção ou molecagem dele. Era alegria de menino. De quem fazia sua arte. Artista. E um pouco arteiro também.

Ganhamos o tri paulista. Faltava o bi da Libertadores. Ou melhor: o tetra sul-americano. Perdemos o primeiro jogo da semifinal na Vila para o Corinthians por 1 a 0. Naquele dia, o Neymar Jr. não foi o mesmo. Na volta, no Pacaembu, o Santos abriu a contagem com gol do meu filho, mas levou um gol no começo do segundo tempo e o time não se recuperou. Paciência! Não dá para ganhar sempre.

SELEÇÃO BRASILEIRA

Quero ganhar uma Copa do Mundo para o povo do meu país. Quero também trazer uma medalha olímpica. Queria ter conquistado o Mundial Sub-20, do mesmo modo como venci o Sul-Americano da categoria. Mas, como estava servindo a Seleção principal na Copa América da Argentina, em 2011, não tive como participar de mais uma conquista brasileira, brilhantemente vencida pelo time do professor Ney Franco.

Tem um torneio que não posso mais vencer pelo Brasil, o Sub-17. Quando eu joguei, nosso time não foi bem. Mas não tenho mais como voltar no tempo. Por isso sonho com o Mundial de 2014 e com uma medalha olímpica no Rio de Janeiro, em 2016. Quero disputar a Copa de 2018 e ser campeão pelo meu povo. Quero disputar em 2022. Vou tentar, com a ajuda dos meus companheiros, todos os títulos. Quero mais! Pela Seleção e pelo meu clube.

Todo atleta quer ganhar, quer vencer. É claro que nem sempre conquistamos tudo. Tem gente do outro lado também motivada, também focada, também com qualidade. Por mais que a gente se esforce, às vezes pode não dar certo. São fatores que vão além de nossa vontade. Por isso, sempre temos que estar 110%. Quando chamados, temos de responder do melhor modo possível. Com o melhor da boa vontade.

Foi o que fiz desde a primeira convocação, em agosto de 2010, logo depois do Mundial. A primeira do Mano Menezes, que substituiu o Dunga no comando do Brasil. Foi um amistoso em Nova Jersey, contra a seleção dos Estados Unidos. A Seleção tinha sido eliminada nas quartas de final da Copa da África do Sul numa virada que levou da Holanda. Sofri muito aquele dia. Antes de ser jogador, somos todos torcedores. Queremos sempre o melhor para o Brasil.

Nunca me esqueço daqueles 2 a 0 em 10 de agosto de 2010 contra os Estados Unidos. Até porque foi lá que também marquei meu primeiro gol com a Seleção principal. Não tem como esquecer o primeiro jogo e o primeiro gol. Mas todo jogo pelo Brasil será uma enorme vitória para mim. Não foi por acaso que chorei tanto na decisão em Londres, em 2012, depois da derrota para o México. Era uma dívida que tinha comigo e com o Brasil. É algo que ainda pretendo pagar. Se me derem a oportunidade, aquelas lágrimas de Wembley serão de alegria. E, se Deus me ajudar ainda mais, vai ser na nossa casa, em 2016. No nosso Maracanã. Quero apenas ganhar a oportunidade de gritar "CAMPEÃO" pelo meu Brasil.

SONHO DE PRATA

Durante a preparação em Londres, liguei para o Juninho e pedi para ele fazer o que sabe com responsabilidade e alegria. Ele estava lá realizando um sonho: disputar uma Olimpíada e brigar pela medalha de ouro. Fizemos a nossa aposta habitual. Sempre gostei de apostar com ele, sobretudo para motivá-lo. Mas, dessa vez, infelizmente para o povo brasileiro, fui eu que ganhei a aposta e ele ficou sem presente, porque perdeu a final olímpica para o México.

Na estreia contra o Egito, ele foi bem. Fez um gol na vitória por 3 a 2, mas a queda de rendimento da Seleção no segundo tempo me deixou preocupado – e acho que deixou toda a torcida preocupada também. Como era o primeiro jogo, imagino que sentiram uma pressão um pouco além do normal. Afinal, era um time sub-23. Mesmo com três atletas acima da idade, o grupo era muito jovem. Com o peso do Brasil jamais ter vencido um ouro olímpico no futebol.

A partida contra a Bielorrússia foi o cartão de apresentação do Neymar Jr. Ele deu o passe para o gol do Pato, quando o Brasil estava perdendo, fez um gol de falta e deu um passe de calcanhar para o Oscar marcar o terceiro gol. Contra a Nova Zelândia, o Brasil já entrou classificado e o meu filho não foi poupado, como outros titulares foram. Houve um relaxamento natural, mas, mesmo sem ser brilhante, ele ajudou a Seleção a vencer por 3 a 0.

Nas quartas de final contra Honduras, eu temi pelo pior, mas o Neymar Jr. outra vez foi muito bem junto de todo o time. Foi ele quem iniciou a jogada do gol de empate. O Brasil ficou atrás do placar mais uma vez, e o Juninho, apesar das vaias de alguns torcedores que reclamaram do pênalti marcado, fez a parte dele, bateu com calma e deixou tudo igual. O gol do Leandro Damião garantiu a vaga para a semifinal. Um 3 a 2 muito sofrido.

Apesar do sufoco, uma parte do que a gente havia projetado já estava cumprida. O Brasil iria disputar pelo menos uma medalha, mas a gente sabia que, se o ouro não viesse, de nada adiantaria ganhar outra medalha. A prata é chumbo para os brasileiros. Não tem jeito.

A semifinal contra a Coreia do Sul acabou sendo bem mais fácil do que todos imaginávamos. Gostei muito do Neymar Jr. nessa partida. Ele não fez gol, mas teve uma atuação muito boa. Tabelou com o Oscar no primeiro, fez o cruzamento do segundo gol e, depois que o jogo estava 3 a 0, ele foi o maestro do toque de bola que a Seleção imprimiu para garantir o resultado e a vaga para a final. Desde 1988 o Brasil não ia a uma final olímpica no futebol. Era mais um tabu quebrado. E olha que grandes times foram montados para conquistar o ouro, nesses 24 anos de jejum, mas não tinham chegado tão longe.

No dia da final, eu fiquei muito ansioso, sabia o que isso representaria para o Neymar Jr. e essa nova geração de jogadores como o Lucas, o Oscar e o Pato. Eles se davam muito bem também fora de campo e, nas conversas com o Neymar Jr. por telefone, eu sentia que eles estavam todos com muita vontade de ganhar. Confiantes, sim, mas na medida certa. Não prepotentes.

Não existe o "se" no futebol. Sei disso há muito tempo. Mas o gol do México no comecinho desmontou o time. O Neymar Jr. foi muito bem marcado e se irritou em alguns momentos. Por mais que a gente tivesse conversado muito sobre isso, nem sempre tem como corrigir. Na hora de uma decisão como essa, uma final olímpica, ninguém tem sangue de barata.

> No dia da final, eu fiquei muito ansioso, sabia o que isso representaria para o Neymar Jr. e essa nova geração de jogadores como o Lucas, o Oscar e o Pato.

No segundo tempo, a Seleção se encontrou. O Neymar Jr. teve boas chances, conseguiu escapar da marcação, mas não era o dia da Seleção. Eu não consigo achar outra explicação para o que aconteceu. Tomamos o segundo gol e aí não havia mais nada que poderia ser feito. O mais triste de tudo aquilo foi ver lá no estádio o meu filho caído no gramado, com a mão no rosto, chorando. Eu, que tinha presenciado tantas alegrias em outros estádios, desabei com ele nesse dia.

Eu sabia o quanto o Juninho queria aquela medalha de ouro, o quanto isso era fundamental para ele e para a nova geração, que vai representar o Brasil na Copa de 2014. É sempre importante lembrar que, ao contrário de outros esportes olímpicos, no futebol as medalhas de prata e bronze não são reconhecidas como em outras modalidades. Ainda mais no Brasil, onde temos essa cultura de que o vice é sempre o primeiro perdedor. Uma pena, mas somos assim.

Claro que ninguém quer perder. Mas, mesmo assim, precisamos entender que não perdemos sozinhos. Sempre há um adversário do outro lado querendo as mesmas coisas. Muitas vezes, não somos nós os derrotados. Os outros é que são os vencedores. Eles fizeram por onde. Eles mereceram a vitória mais do que nós merecemos a derrota. Foi assim com o México, que tinha um bom time e foi melhor na decisão em Wembley.

Mas é preciso sempre assumir as responsabilidades. O Juninho estava abalado, ficou quase dez minutos se lamentando no gramado. Mas, depois, conversou com os jornalistas e falou da tristeza. Não é fácil falar nessas horas. Mas meu filho está cada vez mais maduro. Mais preparado para tudo.

Foi uma derrota triste, mas quantos atletas já disputaram e conquistaram uma medalha olímpica? Olhando para trás, foi uma grande conquista. E Deus está reservando coisas ainda muito melhores para o Neymar Jr., eu tenho certeza. A Copa de 2014 vai ser aqui e a Olimpíada de 2016 também será no Brasil. Quer alegria maior do que conquistar uma Copa e a medalha de ouro em casa? Imagina o tamanho do prêmio que nós vamos apostar!

Nessas horas mais difíceis, eu me conforto lembrando dos primeiros meses de vida do Juninho. Quando ele trocava o dia pela noite. Ele abria o berreiro toda madrugada. Eu e a mãe, como pais de primeira viagem, não sabíamos o que fazer. Eu, menos ainda. Estava em boa fase com o União de Mogi. E sempre tinha muito jogo naquele 1992. O duro é que, como casado, eu me concentrava em casa em véspera de jogo. Com o Juninho chorando toda noite, não tinha jeito, muito menos jogo. Levei um certo tempo para aprender como fazê-lo dormir. Eu tirava a minha camisa e encostava o peito dele no meu. Até ele desabar no sono. O calor do corpo acalentava e acalmava. Era ótimo. Era lindo.

Mas e o meu cansaço no dia seguinte para acordar, chegar às dez da manhã no clube e me preparar para o jogo? Era a minha profissão que sustentava a nossa casa, o leite do nosso filho. Não era fácil. Minha mulher tentava ficar no meu lugar, queria que eu dormisse bem. Mas eu não. Queria ficar com o Juninho. Eu podia dormir menos, mas estava jogando mais. Talvez tenha sido a minha melhor época profissional. Não sei dizer como. Mas, mesmo sem dormir bem, eu estava jogando muito bem. Aquele contato com o Juninho me dava mais forças. Devia ser isso. O amor respondia, o amor resolvia.

Os tabus existem para serem quebrados. Nunca me preocupei com o pouco sono. Apenas dava bola para o meu grande amor. Ele me dava forças. E não me dava outras alternativas, desculpas e justificativas. Nas derrotas, nas más atuações, falo sempre para o Neymar Jr.: não se justifique. Não dê desculpas. Foi o que aprendi naqueles primeiros dias do Juninho. Eu tinha todos os motivos para não estar bem, mas jogava cada vez melhor. Jogava muito mais do que em outros tempos em que conseguia dormir melhor, em que conseguia treinar e me preparar melhor.

Por isso digo ao meu filho e a todos que convivem e trabalham comigo: jogue seu jogo. Faça seu serviço do melhor modo possível. Com muita vontade, disposição e amor. Simples assim.

AMADURECENDO

Com o nascimento do meu filho em 2011, com tudo aquilo que conquistei no Santos e no futebol brasileiro, com toda a ajuda que recebi dos meus parceiros e patrocinadores, com o conforto dos meus familiares e amigos, e com o imenso carinho dos torcedores, não só os do meu clube (que não tenho nem como agradecer), eu realmente não precisava sair do Brasil até 2013.

A felicidade que eu estava sentindo valia por tudo. Trabalhando com pessoas maravilhosas, amigos de verdade, estava tudo ótimo. Não era o momento de ir embora. Mas se fosse, eu é que tinha de decidir isso ao lado da minha família. Mais ninguém.

Muita gente falou sobre isso. Algumas opiniões respeitáveis, inteligentes. Algumas apenas maldosas, até mesmo invejosas. Chegou um momento em que todo mundo só falava nisso. Se eu perdia um gol, era porque eu queria sair do Santos. Se eu marcasse dois gols, era porque estava tudo muito fácil no Brasil e eu precisava atuar fora do país. Se eu era muito caçado no gramado, era melhor eu ser preservado na Europa. Se alguém achasse que eu estava simulando faltas, era bom eu ir para Europa, que lá a arbitragem é diferente.

Qualquer coisa era motivo para eu sair. Ou ficar. Até gente fora do futebol palpitava. Depois de cada jogo, então... Em vez de falar de vitória, empate ou derrota, em vez de perguntar o porquê de eu ter jogado bem ou mal, a primeira pergunta sempre era se eu já tinha acertado minha saída para a Europa.

Cansava muito. Esgotava demais. E ai de mim se eu fizesse qualquer coisa. Era mais porrada. Tive de suportar e superar calado. Ou fazendo como deve fazer qualquer jogador de futebol: responder com a bola, e não com a boca. Para piorar, eu e o Santos não estávamos tão bem no primeiro semestre de 2013. Sem a Libertadores para disputar, só tinha a Copa do Brasil que, nessa temporada, começou mais tarde. No Paulistão, o time demorou para alcançar uma sequência boa. Eu também. O Montillo, grande argentino contratado pelo Santos, teve de se adaptar ao nosso time rapidamente. As atuações não foram boas no Paulistão. Sofremos muito. O torcedor também.

Mas, mesmo assim, fomos chegando. Nas quartas de final, na Vila, superamos o Palmeiras nos pênaltis. Na semifinal, em Mogi Mirim, o ótimo time deles também só foi vencido nas cobranças de pênaltis. Chorei muito ao final daquele jogo emocionante. Sentia um grande alívio e felicidade pela classificação. E toda a imprensa especulou bastante isso.

Nas partidas decisivas contra o Corinthians, mais sufoco. Eles venceram a primeira, no Pacaembu. Foi 2 a 1. Na volta, na Vila, abrimos o placar. Mas eles logo empataram e seguraram o resultado até o final. Perdemos em casa a chance de conseguir algo que nem o Santos de Pelé tinha conquistado. Aliás, nenhum grande paulista conseguiu na história: um tetra estadual.

Fizemos de tudo, mas não foi possível. Foi a quinta decisão paulista seguida do Santos. Se for um pouco mais para trás, desde 2006 só não disputamos o título estadual de 2008. É muita coisa. É mérito nosso. Mas a cobrança continuou forte. Parecia que não tínhamos feito nada no Paulistão. No futebol, em qualquer atividade, sempre somos cobrados. Mas aquela pressão foi meio exagerada. De qualquer maneira, era hora de mudar. Era hora de tentar atingir outros objetivos profissionalmente.

BARCELONA

Desde 2011, o Barcelona namorava a gente. Mas não havia pedido a nossa mão em casamento. Falaram um monte de coisa na imprensa espanhola e brasileira. Muita gente falou sem saber ao certo os detalhes. Isso é normal em qualquer negociação. Só não é natural tanta gente metendo o bedelho. Querendo forçar algumas situações. Dando detalhes até mesmo mentirosos e maldosos da negociação.

Falaram muito e não provaram nada. Tudo o que eu e Neymar Jr. falamos no período acabou se comprovando. Não fizemos leilão e não acertamos nada antes. Não deixamos o Santos na mão. Não fizemos mal a ninguém.

Achamos simplesmente que era hora de partir. Não de fechar uma porta, pois não se fecha o portão da própria casa, do nosso lar, do clube do coração. Mas era o momento de abrir novas fronteiras e horizontes para o Neymar Jr. e para nossa família. Era o momento técnico, futebolístico, emocional, profissional, financeiro e, mais que tudo, pessoal.

Era a hora de dar um passo à frente. De crescer. De multiplicar. Como faz qualquer profissional em qualquer ofício.

É um absurdo algumas pessoas dizerem que um atleta é "mercenário" quando troca de clube. Como fica qualquer pessoa que trabalha em uma empresa e é convidada para exercer sua profissão em outra firma, com melhores condições financeiras, com maiores oportunidades para crescer como profissional e pessoa? Essa pessoa também é "mercenária"? Claro que não. Mas, no futebol, a enorme paixão faz muita gente trocar as bolas.

É um absurdo algumas pessoas dizerem que um atleta é "mercenário" quando troca de clube.

A negociação acabou sendo ótima para todos. Pelas circunstâncias, pelas partes envolvidas e pelos vários interesses, fizemos muito bem. Fizemos o certo, na hora certa e com o clube certo. O Santos sempre nos apoiou e apostou no Neymar Jr. E nós sempre acreditamos no clube. No ex-presidente Marcelo Teixeira, no atual presidente Luis Álvaro. Sempre tivemos a parceria e compreensão de todos. Nunca pautamos a carreira do Juninho nos ganhos materiais. Sempre privilegiamos a felicidade e o conforto dele. Poucos jogadores na história recente do Brasil ficaram por tanto tempo em um clube brasileiro. Ele ficou porque quisemos. O Santos quis. Uma série de parceiros e patrocinadores viabilizaram a permanência dele desde 2009. Ou melhor, desde 2006, quando o clube apostou em um garoto promissor de treze anos.

A todos, muito obrigado! Neymar Jr. sai do Santos agora. Mas o Santos sempre estará com ele. Como sempre esteve comigo e com o avô do Juninho.

Meu filho disse que fará de tudo no Barcelona para fazer do Messi ainda mais artilheiro e cada vez mais candidato ao prêmio de melhor do mundo da FIFA. Tenho certeza absoluta de que ele e o craque argentino se darão muito bem, dentro e fora de campo. Como o Juninho, o Messi é um sujeito e um atleta exemplar, na dele. Para mim, um apreciador do grande futebol, ver meu filho ao lado do maior jogador do mundo dos últimos anos é a mesma alegria e honra que o Neymar Jr. vai sentir ao atuar ao lado dele.

O bom é que ele vai para um elenco e um clube estruturados. Com grande vontade de se entrosar o mais rapidamente possível. Ele já está arriscando algumas palavras em catalão. Vai entender rapidinho o que o treinador quer taticamente e se dar muito bem com os companheiros. Ele vai aprender muito no Barcelona. E, claro, vai contribuir muito com os colegas e o clube.

Uma turma muito boa dentro de campo e fora dele também. Todos receberam o Juninho de braços abertos. O próprio Messi fez questão de falar com o Neymar Jr. quando pintou aquele boato de que ele não seria bem recebido no clube, logo depois do nosso acerto com o Barcelona. O Montillo, o meia argentino companheiro de Santos, fez o meio-campo pelo celular com o Juninho. O Messi e meu filho se falaram por torpedos. Ele falou que estavam todos ansiosos pela chegada dele ao Barça, que seria recebido muito bem por todos. Como foi mesmo muito bem acolhido.

Fico feliz que o Juninho tenha um relacionamento muito bom com as personalidades do meio. Agora mesmo, o Leonardo, ex-diretor do Paris Saint-Germain (PSG), craque da Seleção do tetra, em 1994, fez um contato entre o Juninho e o Beckham. O filho mais velho dele, o Brooklyn, mesmo sendo torcedor do Real Madrid, é muito fã do Neymar Jr. O Beckham pediu uma camisa autografada e ganhou uma para dar de presente de catorze anos ao filho. Logo depois, ele mesmo entrou em contato pelo celular para agradecer ao Juninho.

Não vai ser difícil para ele se dar bem na Catalunha. O duro vai ser para a gente. Ficar distante de casa é muito dolorido. A saudade sempre vai pesar. Vou sempre me lembrar das viagens de ônibus que fazíamos para jogar na Baixada Santista. Das viagens de moto que eu fazia com ele na garupa para que pudesse treinar com os meninos do Santos. Tantas viagens que fizemos para que ele pudesse viajar em campo. Para que ele pudesse fazer no gramado tudo que os sonhos e o talento dele permitissem. Somos felizes porque fizemos nossas escolhas abençoadas por Deus.

MI CASA, SU CASA

Imagine para um menino da praia acostumado a jogar na rua, na terra, na areia, chegar a uma cidade de outro país com 56 mil pessoas lotando um estádio numa segunda-feira só para vê-lo vestir a camisa do clube e dizer algumas palavras. Isso tudo com apenas 21 anos. Foi sensacional! Maravilhoso!

Eu estava com a Seleção me preparando para disputar a Copa das Confederações. Uma enorme responsabilidade. Joguei no domingo pela Seleção, viajei em seguida para Barcelona e, na segunda-feira, estava sendo apresentado no Camp Nou cheio de gente. Para jogar ao lado do incomparável Messi. E de outros grandes craques no clube que mais acumulou vitórias nos últimos anos – na Espanha e no mundo.

Foi difícil segurar a emoção. Era um sonho de menino que consegui realizar. Quando jogo video game (e faço isso desde moleque), sempre me coloquei atuando pelos grandes clubes do mundo. Agora, estou em mais um desses grandes clubes.

A emoção de entrar no Camp Nou e de ser ovacionado pela torcida foi muito grande. Não consigo nem explicar. Foi o que eu disse na coletiva, logo depois, já não conseguindo segurar as lágrimas. Não dava. Nem precisava. Antes mesmo da entrevista, o pessoal do Barça passou um vídeo bem legal com lances e gols meus pelo Santos e pelo Brasil. Claro, passaram os gols contra o Flamengo, o que valeu o Puskás de 2011, e aquele gol na Vila Belmiro contra o Internacional, pela Libertadores de 2012. Outro que concorreu ao prêmio da FIFA, em uma noite inspirada em que fiz dois gols muito parecidos.

Poucas vezes vi tamanha alegria, respeito e carinho como naquela apresentação em Barcelona. Eu já sabia que tinha feito a escolha certa, na hora certa, para o clube certo, quando troquei o meu Santos pelo meu Barça. Se eu ainda tivesse alguma dúvida, ela se desmancharia naquele momento. Muito bacana foi ver as imagens que fizeram do meu pai no gramado durante a apresentação. Ele estava com aquela cara de sempre. Sério, compenetrado. Parecia até treinador faltando cinco minutos para acabar uma decisão. Mas eram apenas os meus primeiros minutos com a bela camisa azul e grená. O nosso pessoal todo emocionado e meu pai ali, segurando a bronca. No fundo, aquela cara do meu pai era de que havíamos feito tudo certinho. Que tínhamos feito uma história bacana pelo Santos. Pelo Brasil, ainda tem toda uma carreira. E, agora, pelo Barcelona, tenho mais ainda a conquistar.

Agora é hora de fazer meu papel. Ajudar meus companheiros *blaugranas* a conquistar tudo que disputarmos. Não é uma promessa, é um desejo. Possível de ser alcançado em um clube desse tamanho, com os jogadores e a estrutura que tem. O elenco é tão maravilhoso que eu ficaria o livro inteiro falando só disso.

Vou vestir minha nova camisa e buscar mais sonhos. Quero jogar no Barcelona com a mesma dedicação com que sempre joguei no Santos. E vou sempre repetir um hábito que é um ritual para mim e para meu pai. Antes dos jogos, no ônibus que nos leva até o estádio, ou mesmo no vestiário, eu sempre telefono para ele. Conversamos sobre a partida, o adversário, o nosso time. Sobre o que eu posso fazer, e o que não devo fazer também. Sobre futebol, família, vida. E, principalmente, oramos juntos. Sempre finalizando com Isaías: "Toda arma forjada contra mim não prosperará, toda língua que ousar contra mim, em juízo Deus a condenará, esta é a herança dos servos do Senhor, e o direito que procede Dele, diz o Senhor".

COPA DAS CONFEDERAÇÕES 2013

Antes da segunda partida do torneio, meu filho se posicionou a respeito das manifestações que levaram o povo brasileiro indignado às ruas. Neymar Jr. escreveu este texto em sua fanpage no Facebook:

> Triste por tudo o que está acontecendo no Brasil. Sempre tive fé que não seria necessário chegarmos ao ponto de "ir para as ruas" para exigir melhores condições de transporte, saúde, educação e segurança, isso tudo é OBRIGAÇÃO do governo... Meus pais trabalharam muito para poder oferecer para mim e para minha irmã um mínimo de qualidade de vida... Hoje, graças ao sucesso que vocês me proporcionam, poderia parecer demagogia minha – mas não é – levantar a bandeira das manifestações que estão ocorrendo em todo o Brasil. Mas sou BRASILEIRO e amo meu país!!! Tenho família e amigos que vivem no Brasil!!! Por isso também quero um Brasil mais justo, mais seguro, mais saudável e mais HONESTO!!! A única

> forma que tenho de representar e defender o Brasil é dentro de campo, jogando bola... E a partir deste jogo, contra o México, entro em campo inspirado por essa mobilização... #TamoJunto

Fiquei muito feliz com o posicionamento do meu filho. E também com a repercussão da opinião dele. Ele não pode se alienar. Não pode deixar de dizer o que sente, o que pensa. É dever dele, na posição que ocupa na Seleção e na sociedade, também se manifestar. Abrir o jogo e o coração. O mundo dele é uma bola. Mas ele não pode estar alheio ao que acontece fora de campo.

No gramado, graças a Deus, começamos muito bem o torneio. O Neymar Jr., ainda melhor. No primeiro chute que deu, com dois minutos, acabou com um jejum de muito tempo sem fazer gol. Fez um belíssimo gol de fora da área contra o Japão, em Brasília. Nesse dia, aconteceu algo que raramente ocorre desde a estreia do Juninho, em 2009. Essa foi uma das raríssimas vezes em que não conseguimos nos falar minutos antes da partida, por um problema telefônico. Para mim, sempre faz muita falta não estar ao lado dele. Sei que para ele isso também é importante. Mas também isso ele soube superar com talento e maturidade naquela tarde.

O gol deu mais tranquilidade para todo nosso time fazer o jogo que sabe. O Japão tem uma boa equipe. Mas fomos melhores. No início da segunda etapa, o Paulinho ampliou. Faltando um minuto, o Jô recebeu um belo passe do Oscar e fechou: 3 a 0. Foram muito boas a vitória e a atuação. Tão bonita quanto a galera que nos apoiou o tempo todo, desde a execução do Hino. Eu cheguei às lágrimas. Não apenas eu. Acredito que todo mundo ficou arrepiado com aquela demonstração de civilidade e cidadania. De amor ao nosso país.

Contra o México também foi de arrepiar. A torcida de Fortaleza fez uma belíssima festa e cantou o nosso hino até o final. Foi demais. O time entrou em campo ainda mais ligado. E o Neymar Jr. teve a felicidade de, novamente, marcar gol logo no começo da partida. Desta vez foi de canhota, aos oito minutos. Um golaço! Mais um! Foi a melhor partida dele na competição. Talvez a melhor que tenha feito pela Seleção principal – ao menos até aquele jogo. No segundo tempo, mais um lance sensacional pela esquerda e o toque limpo para o Jô ampliar: 2 a 0 para o Brasil. E, novamente, o Neymar Jr. foi eleito pela FIFA o *"Man of the Match"*. O cara do jogo. Merecidamente. Nos cinco jogos do Brasil, ele ganhou quatro vezes a premiação. Quatro troféus que estão na minha sala, no nosso escritório, em Santos.

Faltava a Itália, na Fonte Nova. Um grande adversário que quase havia nos atrapalhado no começo do ano. Dessa vez, e de novo com o apoio fantástico da galera, vencemos e jogamos muito bem. No primeiro tempo, só abrimos o placar no finalzinho, com o Dante. A Itália empatou no recomeço do jogo, em um belo contragolpe. Na saída de bola, meu filho foi derrubado na entrada da área, lá pela meia-esquerda. Ele ajeitou com carinho. Treinou muito aquilo. Viu o goleiro Buffon saindo para a direita, jogou no canto onde ele estava, no contrapé: 2 a 1 para o Brasil. Gol de gente grande!

O Fred ampliou para 3 a 1 depois de um grande lançamento do Marcelo. Eles fizeram mais um gol, em um lance irregular. O árbitro marcou pênalti na jogada e voltou atrás em seguida. Nunca vi igual. Mas, na sequência, mesmo com toda pressão italiana, mais uma vez o Marcelo e o Fred fizeram um belo lance, e o nosso artilheiro fechou o placar em 4 a 2.

A campanha 100% na primeira fase nos deu mais moral. Mas o adversário na semifinal era o Uruguai. Um grande clássico, sempre. O Lugano, antes da partida, disse que o Neymar Jr. cavava muitas faltas, que o futebol brasileiro já não era mais o mesmo. Aquele papo de sempre.

Mas futebol se resolve lá dentro. Ainda bem. Foi um primeiro tempo dificílimo em Belo Horizonte. A torcida de novo cantou o hino até o final. Foi de arrepiar. Eles também vieram arrepiando. Jogaram muito bem. Em alguns momentos, até mesmo melhor que nós. Mas quando se tem qualidade e camisa, além de uma torcida como a nossa, as dificuldades podem ser superadas. O Paulinho fez um lançamento fantástico da intermediária. O Juninho matou no peito e, meio sem ângulo, bateu. O goleiro Muslera rebateu e o Fred apareceu chutando tudo: 1 a 0 para o Brasil, no finzinho do primeiro tempo.

Eles empataram no reinício de jogo. O jogo continuava complicado. E foi assim até o final. Eles jogando e catimbando. Querendo briga, tentando nos irritar. Teve um escanteio pela esquerda e um dos jogadores deles, que acabara de ser substituído, veio falar umas bobagens na orelha do meu filho. Só para tirar a concentração dele. O Juninho não perdeu o rebolado. Mandou uns beijinhos para o adversário e fez o jogo dele. Até a transmissão da TV deu replay dos beijos do meu filho. Foi engraçado.

E foi justamente de um escanteio da esquerda que saiu nosso gol. O Neymar Jr. bateu a bola na cabeça do Paulinho, no segundo pau: 2 a 1 para nós, aos quarenta minutos do segundo tempo. Logo depois, o Felipão tirou o Juninho. Mas muito maior foi nossa festa. Cumprimos nosso dever. Estávamos na final no Maracanã. Contra o adversário que todos esperavam e que todos nós gostaríamos de enfrentar e vencer: a Espanha. O time campeão do mundo. Bicampeão europeu. A equipe dos futuros companheiros de Barcelona do meu filho: Iniesta, Xavi, Busquets, Pedro, Piqué, Villa, Valdés, Jordi Alba, Fábregas. O melhor time da Europa. O campeão do mundo de 2010. O campeão europeu de 2008 e 2012.

Mas eles precisariam comprovar que eram a melhor Seleção da Copa das Confederações de 2013. Justamente contra os donos da casa e da festa. O Brasil cinco vezes campeão mundial. E tricampeão da competição.

O que faltava à Seleção Brasileira foi sendo conquistado a cada dia, a cada treino, a cada partida. A gente conseguiu mostrar que aquilo que estava faltando era entrosamento. Durante a competição, encontramos isso: uma equipe, um grupo que fora de campo é maravilhoso e dentro de campo foi sendo melhor ainda. Isso nos deixou cada vez mais fortes. Essa era a minha impressão.

Na decisão contra a Espanha, ficamos ainda maiores na hora do hino nacional. De novo o torcedor cantou até o final e nós fomos juntos. Foi lindo. Começamos a ganhar o jogo ali. A vencer a Copa aqui, no Brasil. Com muito orgulho, com muito amor. Tanto que com um minuto e trinta segundos, o Fred já abriu o placar. O Hulk cruzou bonito da direita, o Neymar Jr. não conseguiu dominar a bola, e o Fred, mesmo caído – nunca vi igual –, venceu o goleiro Casillas.

Era tudo o que queríamos: 1 a 0 já no começo. E logo quase fizemos o segundo, aos sete minutos, com o Oscar, em um belo lance do Fred. O Paulinho tentou por cobertura, aos doze minutos, e só não fez porque o Casillas é o Casillas. Mas o Brasil foi Brasil, como há tempo não era. Marcamos lá na frente, em cima e para cima dos caras. Demos pouco espaço. Quando alguém deles escapava, como o Pedro, aos quarenta minutos, o David Luiz salvava em cima da linha. Impressionante. O Maraca comemorou como se fosse um gol esse lance do David.

Imagine, então, quando o Neymar Jr. fez o segundo, aos 43 minutos. O Oscar tabelou com meu filho, que fugiu do impedimento, e enfiou a canhota no ângulo do Casillas. O gol nos animou demais. Os meninos foram para o vestiário em festa e voltaram mais focados para o segundo tempo. Foi então que o Hulk, logo no primeiro minuto, fez o lance que sobrou para o corta-luz do Neymar Jr. dar a deixa para o Fred fechar o placar. 3 a 0 era demais!

O Sergio Ramos chutou logo depois um pênalti para fora. Aos 22 minutos, o Brasil conseguiu escapar pela esquerda, e o Piqué deu um pontapé no Neymar Jr., sendo expulso. Com um a mais, perdemos um monte de chance. O 3 a 0 foi muito acima da expectativa. E foi mesmo demais. Quando acabou o jogo, o Juninho abraçou o primeiro espanhol que estava à frente dele. Logo depois, cumprimentou os árbitros e foi o primeiro da equipe a dar a mão aos grandes adversários que havíamos acabado de vencer. Muitos que serão futuros companheiros agora. Em seguida, foi até a torcida cumprimentar todos que conseguia. Naquela hora, se pudesse, daria a mão a todos os brasileiros que nos deram o coração em toda a competição. Fez questão de, na entrevista coletiva, vestir a camisa de Leandro Damião, parceiro dele que se lesionou e não pôde jogar a Copa das Confederações, e que foi muito bem substituído pelo Jô. O Damião foi tão campeão quanto todos os outros 23.

É assim que se constrói um grupo, um time campeão. Desde o futsal, o Juninho aprendeu que tudo se faz em grupo. Tudo se faz por todos. É assim com nossa empresa também. Todos trabalhamos pelo Neymar Jr. e com o Neymar Jr., com todos nós e por todos nós.

Logo depois, mais uma emoção para ele e, claro, para mim: o Prêmio Chuteira de Bronze como vice-artilheiro da competição. Fernando Torres e Fred fizeram cinco gols. Neymar Jr. marcou quatro. Esse troféu também está na minha sala na NR Sports. Em seguida, a honra maior como atleta. Meu filho ganhou a Bola de Ouro, como craque da competição. Ele jamais imaginou que pudesse conquistar um título que teve Iniesta como Bola de Prata e Paulinho como Bola de Bronze. Numa competição com craques brasileiros e espanhóis, e ainda Pirlo, Cavani... Foi muita honra e alegria.

Ele jamais imaginou que pudesse conquistar um título que teve Iniesta como Bola de Prata e Paulinho como Bola de Bronze.

Às 21h13 no Maracanã, o Juninho de Mogi das Cruzes ergueu o segundo troféu da noite, apontando para o céu e agradecendo a Deus por mais uma conquista. Logo depois, quando ganhou a medalha de campeão, recebeu beijos na cabeça do presidente da FIFA e da Confederação Brasileira de Futebol (CBF). Lá no palanque ele ficou esperando até o nosso capitão Thiago Silva erguer o quarto prêmio na noite. O mais esperado: o de campeão da Copa das Confederações. Eram 21h20 quando soltamos nosso maior grito: o de CAMPEÃO! Nós e todos os brasileiros.

Em seguida, o Neymar Jr. desceu para a foto com todo o elenco e comissão técnica, pouco antes da volta olímpica. Foi muito bacana ver vários filhos dos colegas dele na foto. Foi lindo. E eu pensando no meu neto Davi Lucca. Imagino o quanto o pai queria tê-lo no colo. Para embalá-lo como fez quando pôde ficar um pouco com a taça nas mãos dele.

O Juninho a embalou. Segurou o troféu e o beijou como se fosse um filho.

E ainda tirou uma foto com os três troféus conquistados: o Chuteira de Bronze, o Bola de Ouro e o da Copa das Confederações. Como se fosse um torcedor. E ele era mesmo um torcedor. Privilegiado por ter jogado ao lado de um grande time. Mais ainda: privilegiado por ser brasileiro. Eu e ele sabíamos que só havia dois caminhos para o Juninho ao final da Copa das Confederações: ou seria um perdedor na Seleção Brasileira, ou seria um dos heróis da conquista do título.

Graças a Deus, mais uma vez, o Juninho jogou como um autêntico camisa 10 do Brasil. Sou suspeito para falar como pai. Mas como amante do futebol, fico muito feliz pelo que o Juninho e seus companheiros fizeram pelo futebol brasileiro. Nós tivemos nosso orgulho de volta. Voltou o campeão de uma forma plástica, convencendo, ganhando com força, inteligência, habilidade e talento.

Ganhando como Brasil. Ganhando no Brasil. Fomos tetracampeões com cinco vitórias em cinco jogos. Goleando na decisão a seleção campeã mundial e bicampeã da Europa. Acho que não preciso dizer mais nada.

DAVI LUCCA

Quando soube que eu seria pai, aos dezenove anos, pouco antes de decidir o título paulista de 2011, confesso que não sabia o que fazer. Muitos homens ficam assim. Para mim, foi muito difícil, com tanta coisa acontecendo ao meu redor. Tinha medo da responsabilidade. Não estava preparado. Era cedo demais. Chorei muito de medo no começo.

Na hora de contar para a família, não foi fácil. Até que criei coragem e fui falar com minha mãe. Pedi a ela para ficar em casa, pois precisávamos conversar. Quando contei, ela se emocionou e foi aquele chororô. Já com o novo vovô da praça, foi mais complicado. Eu não conseguia contar para ele. Travava tudo. Meu pai sempre me aconselhava. Ele me dizia para tomar cuidado, para me precaver em todos os sentidos. Ele ficava o tempo todo falando das consequências de todos os atos.

Mas, passado o susto inicial, meu pai abraçou a situação com o coração aberto e foi comigo conversar com a Carol, a mãe do meu filho. Ele foi incrível, como sempre. Os familiares dela também foram ótimos. Graças a Deus. E tudo segue maravilhoso, desde então. Todos nos damos muito bem.

Meu pai sempre me ajudou muito. Assim que soube que seria avô, ele me deu todo o apoio de que eu precisava. Ele me disse que o amor que sente por mim e pela minha irmã é infinito. E que mesmo que eu não casasse ou ficasse junto da mãe do meu filho, o Davi seria nosso para sempre.

Um filho é uma bênção. É o que sempre será o Davi Lucca. Ele é uma bênção na vida dos pais, dos avós, da tia, da família toda. Minha vida ficou muito mais especial com a chegada dele. Ele me traz sorte.

Para mim, hoje e a cada dia, o Davi é a minha alegria, a minha felicidade. Eu sou um pai babão, né? Gosto sempre de estar perto, brincando com ele. Curto vê-lo crescendo. Ensino e aprendo muito com ele. Faço de tudo por meu filho. Troco até fralda. Tento fazer com meu filho tudo que meu pai fez comigo. É uma delícia. Até porque tenho um ótimo relacionamento com a mãe dele. Conversamos muito, pois eu quero participar ao máximo da educação dele. Quero que ele seja um bom ser humano, e eu vou educá-lo da melhor maneira possível, como meus pais me educaram. Faço tudo com ele. Faço tudo por ele.

Faço de tudo por meu filho. Troco até fralda. Tento fazer com meu filho tudo que meu pai fez comigo.

A primeira vez que o levei para o estádio foi num clássico contra o Corinthians, na Vila Belmiro. Foi em 4 de março de 2012. Ele tinha seis meses apenas. Mas eu não quis nem saber. Assumi a responsabilidade. O meu pessoal arrumou um uniforme do Santos, com a camisa 10, e um bonezinho estiloso. Entrei com ele nos braços. Foi o maior alvoroço. Quase ninguém sabia que eu entraria com meu filho. Nem o avô sabia. Combinei com a Carol e não teve problema algum. Aliás, foi uma alegria só segurar o Davi Lucca naquele domingo de sol na Vila. Ele ganhou um beijo do padrinho Ganso antes de sair de campo. E, claro, ele foi o que para mim sempre será: um pé-quente. Ganhamos por 1 a 0!

Davi Lucca vai ser o que eu também fui para meu pai: mascotinho de primeira. Tem uma foto muito legal do meu pai jogando pelo Manchester de Juiz de Fora, em 1994. Está lá no mural da NR Sports. O time perfilado para aquela pose tradicional para os fotógrafos. E eu sou o único mascote, bem na frente do meu pai. Só tinha eu de mascote. Para mim, naquele domingo na Vila, também só tinha o Davi Lucca em campo em sua estreia no estádio.

Quando ficava concentrado no Santos, o Davi sempre vinha me visitar. Não existia momento mais gostoso. Foi assim na Vila, vai ser assim na Espanha, será assim a vida toda. Desde aquele 24 de agosto de 2011 é assim. Desde que ele nasceu, às 11 horas daquela manhã. Não sou muito de ficar ligando para números. Mas, de fato, é curioso que, em 2011, 11 da manhã, nasceu o filho do camisa 11 do Santos – então campeão paulista e da Libertadores de 2011, e ainda mais campeão por ser pai do Davi Lucca!

Desde esse dia, não penso mais em mim. Penso muito mais nele. No meu filho. Entendo cada vez mais meu pai. Dou cada vez mais razão a ele. Não tem nada comparável à emoção de ser pai. É uma alegria que me emociona e me abençoa. Torço para que o Davi tenha ídolos e exemplos tão bons como os que tenho. Mas espero que não aconteça comigo o que aconteceu com o Robinho. Quando a gente jogava junto no Santos, em 2010, ele levava o filho dele ao Centro de Treinamento, e o menino dizia que era meu fã.

Já estou me preparando para isso, pois é muito provável que o Davi não fale que é fã do Neymar Jr. Mas eu posso falar: eu sou fã do Davi Lucca com muito orgulho! Agora meu foco é ele, fazer gol para ele, jogar para ele. Meu filho é o meu amor.

ORGULHO

Desde cedo, eu tinha um objetivo: tomar conta do Juninho até a estreia dele como profissional. Quando ele entrasse em campo pela primeira vez, eu me sentiria realizado. Fiz minha parte. Agora é com ele lá dentro. E com nossa equipe aqui fora dando apoio. Desde a estreia em 2009, fazemos tudo por ele, pois somos um time. Agora, se ele vai ser o maior do mundo... Isso todos nos perguntam. Honestamente, essa não é nossa ambição. Não é para isso que o Juninho entra em campo.

Se acontecer de um dia ele ser eleito o craque da FIFA de uma temporada, isso será consequência de muito trabalho. Se a gente quisesse ser o melhor do mundo, eu ouviria o que um monte de gente falou para o Neymar Jr. antes de ele ir para o Barcelona: "Se você quer ser o melhor do mundo, você não pode jogar onde está o melhor do mundo, você tem que ser adversário dele. Jogando no Barça, você vai ser coadjuvante sempre".

Muita gente ainda não sacou como a gente pensa, como a gente trabalha com o Juninho. O que o Neymar Jr. quer ser é feliz. É assim desde que nasceu, é assim desde que iniciou no futebol. Ele quer jogar entre os melhores. O Neymar Jr. escolheu aquilo que mais lhe agrada, o melhor futebol que tem para ele é aquele ali, o jogo bonito do Barcelona. Para ele e para nós que torcemos pelo futebol bem jogado, disputado.

É como diz o Xavi: "Eu não jogo para ser o melhor do mundo. Eu ajudo para que meus companheiros sejam os melhores jogadores do planeta". É isso. Futebol é coletivo. Neymar Jr. vai ser muito feliz no Barcelona. E fará muita gente feliz com ele e seu futebol.

As escolhas do Neymar Jr. são pautadas pelo amor e pela felicidade. E é assim que vamos deixar o destino continuar conspirando a favor dele. Ver pessoas, como o Tostão, falando tão bem do meu filho, gente do Brasil e do mundo elogiando, é muito reconfortante. Nunca vou esquecer aquele comercial da Volkswagen com o Ayrton Senna, o Dalai Lama, tanta gente importante, maravilhosa, e o meu Juninho entre eles... Não é questão de vaidade. É de orgulho. De respeito. Assisti milhões de vezes àquele comercial. Porque sei o quanto nós trabalhamos para ter um reconhecimento desse tipo.

O que eu mais quis na vida era ver gente falando bem dos filhos dos quais tanto me orgulho. Nisso também sou abençoado como pai. As pessoas gostam do que o Juninho faz com a bola e do que ele é fora de campo. Meu filho já sofreu na carne preconceito racial atuando pela Seleção. Já ouviu todo tipo de xingamento. Tem vezes que ele perde a cabeça. Não é uma máquina. Ninguém é. Mas, às vezes, acabam cobrando demais dele. Ainda bem que tenho a pele curtida. A vida que tive foi muito dura. Muitas vezes, não pude dar presentes a ele e a Rafaela. Mas sempre disse que um dia a coisa poderia mudar. Fiz o Neymar Jr. sonhar muito. A única coisa que eu podia dar a eles, a única garantia que meus filhos tinham é que era permitido sonhar. E eles sonharam.

O que mais me impressiona em relação ao Juninho é essa capacidade de enxergar o próprio jogo e o dos adversários. A capacidade que ele tem de ler a partida. Muitos jogadores jogam o jogo, mas não o veem. Não o entendem. O Neymar Jr. consegue jogar a partida e ainda ver os movimentos do time dele e dos adversários. Nem parece que ele está em campo. Parece que ele está na tribuna, como analista.

> Meu filho já sofreu na carne preconceito racial atuando pela Seleção. Já ouviu todo tipo de xingamento.

Ele tem uma capacidade de absorção e de aprendizado absurda. É só ver os comerciais que ele grava. Ele decora tudo rapidinho e não tem erro. Ele consegue até mesmo se lembrar de vários lances de inúmeros jogos seus. Muita gente no futebol mal lembra como fez algumas coisas, ou o que deixou de fazer em campo. O Juninho, não. Está sempre querendo aprender mais. Sempre atento ao que rolou.

Outra coisa muito importante na carreira dele foi a paciência para amadurecer. Sei que ele é muito precoce, fez muitas coisas muito antes da maioria. Mas ele não acelerou o desenvolvimento como atleta e pessoa. Ele sempre soube que não há como pular etapas. Deus não pula etapas. O corpo dele, aos dezessete anos, era o de um garoto de dezessete anos. Aos dezenove anos, o de um atleta de dezenove. E por aí vai. Ele vai longe também por isso. Ele sabe a hora de fazer as coisas. Dentro e fora de campo. Eu aponto os caminhos, mas ele decide qual trilhar. Quase sempre faz o certo. E, independentemente de qual rumo ele seguiu, é importante dizer que tudo foi pela cabeça dele. Pela personalidade dele. Apesar de a gente cuidar de tudo para o Juninho, de deixá-lo livre para jogar futebol, ele tem capacidade e responsabilidade para assumir tudo que faz. E esse é o jeito dele.

Deus não pula etapas. O corpo dele, aos dezessete anos, era o de um garoto de dezessete anos. Aos dezenove anos, o de um atleta de dezenove.

Todo jogo é tudo para meu filho. Para ele, tanto quanto para mim, o título é consequência de um trabalho árduo e bem-feito. Em uma das partidas lá no Peru, a imprensa argentina se rendeu. Botaram na capa do jornal *Olé*: "Neymaradona". Foi na estreia no Sul-Americano Sub-20, em 18 de janeiro de 2011, na cidade de Tacna. Uma bela vitória contra o Paraguai: 4 a 2 para o Brasil. Quatro gols do camisa sete verde-amarelo. Quatro gols do meu filho! Imagine a minha emoção! Até hoje ficam comparando o Pelé ao Maradona e o próprio jornal do país comparou o meu filho ao Maradona.

Eu quero ver sempre o Juninho jogar. Não só por ser meu filho. Mas pelo prazer de ver um cara que joga com tanto amor e prazer em campo. Às vezes, me arrepio com algumas entradas feias que recebe. É coisa de pai e de torcedor, não necessariamente nessa ordem. Obviamente, não gosto que ele apanhe em campo. Mas teve uma vez que me diverti. A Seleção encarando a Argentina em Belém, pelo Superclássico das Américas. Jogo difícil, como sempre. O Neymar Jr. estava jogando bem. Até que em um lance lá pela esquerda, ele dribla para lá, para cá, até ser agarrado e puxado pela camisa pelo volante Guiñazú. O árbitro marca a falta. O argentino reclama e meio que larga no gramado algo que desprendera da camisa amarela. O número do Neymar!

> Eu quero ver sempre o Juninho jogar. Não só por ser meu filho. Mas pelo prazer de ver um cara que joga com tanto amor e prazer em campo.

A sorte é que o Juninho estava com a camisa 11. O Guiñazú arrancou o número um da direita. Ficou um negócio vazado, com as linhas verdes em volta. Só sobrou o número "1" à esquerda. Por alguns instantes, o Neymar Jr. foi o número um. Claro que, como pai, ele sempre vai ser o meu número um. Sempre vai ser nota mil. Mas, naquele jogo contra a Argentina, no Pará, os adversários fizeram falta até no número da camisa do Juninho.

Mais um daqueles momentos que não vamos esquecer. E tenho certeza de que muitas alegrias ainda vamos viver. Afinal, o meu Juninho tem apenas 21 anos. Ainda tem muito jogo pela frente. Pelo comprometimento e seriedade, pelo amor ao que faz, pelo carinho que recebe de quem torce por ele e pelos times onde ele atua, sei que vai se superar cada vez mais.

Torço para que, ao final da carreira, meu filho seja reconhecido tanto pelo talento como atleta como pela humildade no trato com todos. Espero ouvir das pessoas que o conheceram ainda mirradinho, magrelo, correndo atrás da bola, que o Juninho maduro, bem-sucedido, ainda é a mesma pessoa que atende a todos com muito carinho e respeito. Tudo que ele recebe de quem gosta dele, ele retribui do mesmo jeito. Não só por ter sido criado pela Nadine e por mim desse jeito, mas pela índole que tem.

Meu filho é um cara legal. É um sujeito decente. Isso é o que mais importa nesta vida. Ser uma boa pessoa. Digo isso não por ser pai, mas por acompanhar esse menino de perto desde o berço. E olha que eu cobro muito dele e de mim também. Não é fácil ser ao mesmo tempo pai, fã e torcedor do time onde ele joga. Pode ter milhares de pessoas torcendo por ele e pelo time dele. Eu tento, dentro do possível, não misturar as bolas. Tento primeiro ser pai, depois torcedor, fã. E, claro, não é fácil. Mas fica menos difícil por ele ser a pessoa que é.

Sei que o Davi Lucca vai ter muito orgulho do pai dele. Sei que outros meninos vão viver dias e jogos muito felizes vendo o Neymar Jr. e os companheiros dele em campo. Sei que ele vai viver muitas coisas boas não apenas no gramado. Porque ele merece. Porque Deus ajuda quem trabalha. E Deus tem nos ajudado em tudo, dentro e fora de campo. Em todos os campos desta vida.

Só posso agradecer a Ele por tudo. E agradecer a todos os fãs pelo apoio que dão ao meu filho – o que me faz ainda mais feliz e realizado. Meu filho é meu tesouro. O tesouro de muitos torcedores do Santos, do Barcelona e do Brasil.

O FUTURO

O que será o meu futuro? Onde vou estar daqui a dez anos? Não sei. Torço e trabalho apenas para que eu continue feliz fazendo o que gosto e me realiza. Espero continuar dando alegria ao torcedor do meu clube. Aos santistas, aos torcedores *culés* (como se chamam os que torcem pelo Barcelona), aos torcedores brasileiros, aos fãs em todo mundo do meu futebol.

Quero levar alegria a todos os fãs do esporte. Não treino para ser o melhor do mundo. Eu não jogo para ser o destaque. Eu jogo para ajudar meu clube e meus companheiros. Jogo pela torcida brasileira e santista. E vou jogar para ajudar o Barcelona a partir de agora. Eu jogo porque eu amo o futebol!

Cresci muito nesses anos. As coisas aconteceram muito depressa. Por ser pai com dezenove anos, entrar no time profissional aos dezessete, tudo na minha vida aconteceu muito rápido e isso me ajudou muito a ter a experiência que eu tenho hoje. Eu me sinto bem para jogar em qualquer jogo, em qualquer estádio, em qualquer país. Aprendi bastante com tudo o que passei na vida. Também por ter o melhor professor ao meu lado: meu pai. Quando eu estava triste por algum motivo, ele me falava: "Você vai aprender com tudo isso, você vai chorar agora, mas, lá na frente, você vai ver que esse choro fez bem para você, fez você crescer".

Vou fazer de tudo para ser cada vez melhor, cada vez mais produtivo. Se Deus quiser, ainda estarei celebrando o hexa mundial de 2014, em nosso país. Quem sabe até o hepta em 2018? Por que não? Farei de tudo para que, nos Mundiais, eu possa dar a felicidade que nosso torcedor merece.

E sei que sempre vou continuar contando com as bênçãos do meu pai para tudo. Ele está ao meu lado hoje. E vai continuar lutando por mim e por minha família no futuro também. Só cheguei onde estou porque tinha meu pai me orientando e sustentando. Ele é o principal responsável por eu estar onde cheguei. Ele sofreu muito. E faz de tudo para que eu não sofra, para que eu não passe pelas coisas que ele vivenciou. Não posso prever o futuro, mas sei que minha família estará sempre comigo.

Só cheguei onde estou porque tinha meu pai me orientando e sustentando.

Esse é o maior presente que Ele me dá. Agradeço a Deus pelo carinho que recebi do santista de 2009 a 2013. Pelo entusiasmo com que fui recebido pelo torcedor *blaugrana* do Barcelona. Da torcida verde-amarela em todos os momentos da Seleção, desde 2010. Vocês estão sempre comigo. Não posso prometer gols, vitórias e títulos. Isso não depende apenas de mim. Mas vou sempre prometer luta. Entrega. Vontade. Correria. E, sim, ousadia e alegria. Ginga. Malícia. Irreverência. E algumas dancinhas na hora de comemorar o gol, que eu não me aguento! Futebol não é apenas vitória, empate ou derrota. É muito mais que isso. Não é só nós contra eles. É tudo isso e muito mais. Futebol é uma brincadeira infantil que gente adulta leva a sério. Sem necessariamente ser sério o tempo todo.

Quero me divertir. Quero fazer muita gente feliz. Quero ser alegre correndo, jogando, driblando e fazendo gols. Quero ser aquele menininho que não desistiu de um sonho. Sempre quis ser um jogador. Quando eu via meu pai jogando bola, eu me via fazendo o mesmo quando fosse adulto. Se uma criança tem esse sonho, deve correr atrás. Deve ir buscá-lo. Não desacreditar nunca, mesmo se disserem que não vai dar certo.

Eu acreditei naquele meu sonho. Eu, no fundo, continuo sendo aquele molequinho que ficava subindo as arquibancadas quando foi descoberto pelo Betinho. Quero ser sempre aquele menino que treinava de manhã no futebol de campo, estudava à tarde na escola, treinava à noite no salão, e voltava na Kombi do pai bem de noite para casa. Quero ser para as pessoas o que meu pai é para mim. Tudo. Para sempre.

Pai, você é meu herói, meu conselheiro, meu amigo. Não existe palavra suficiente nesse mundo para agradecer tanto amor e dedicação. Por você e pela minha mãe, a mulher da minha vida, e que daria a vida por mim e por minha irmã, eu faço tudo. Agradeço a Deus por ter vocês ao meu lado. Quero ser para o Davi Lucca tudo que você é para mim. Eu te amo muito! E espero que este ano de 2013 seja ainda mais especial por poder te dar o livro que fizemos juntos. O livro que conta a nossa história. Espero escrever mais páginas vitoriosas nesta vida. Vitórias que não dependem de resultados, mas da alegria de jogar. Da alegria de ser filho do Neymar. Da felicidade de ser o Neymar Jr.

PREMIAÇÕES

Campeão da Copa das Confederações 2013
Bola de Ouro – Melhor jogador da Copa das Confederações 2013
Chuteira de Bronze – Vice-artilheiro da Copa das Confederações com 4 gols – 2013
Melhor Jogador do Campeonato Paulista 2013
Seleção do Campeonato Paulista 2013
Vice-artilheiro do Campeonato Paulista com 12 gols – 2013
Vice-campeão do Campeonato Paulista – 2013
Melhor Jogador das Américas em 2012 – Jornal *El País*
Seleção das Américas 2012 – Jornal *El País*
Troféu Mesa Redonda – Melhor jogador do Campeonato Brasileiro 2012
Troféu Mesa Redonda – Melhor atacante do Campeonato Brasileiro 2012

Troféu Armando Nogueira 2012 - SporTV e *GloboEsporte.com*
Prêmio Globolinha de Ouro - Gol mais bonito do Campeonato Brasileiro 2012
Bola de Ouro Hors-Concours Revista *Placar* e ESPN Brasil em 2012
Chuteira de Ouro 2012 - Revista *Placar* e ESPN Brasil
Seleção do Campeonato Brasileiro 2012 - CBF
Prêmio Brasil Olímpico (COB) 2012 - Categoria Futebol
Bicampeão do Superclássico das Américas pela Seleção Brasileira
Campeão da Recopa Sul-Americana 2012
Melhor Jogador da Recopa Sul-Americana 2012
Medalha de Prata - Olimpíadas de Londres 2012
Artilheiro da Libertadores com 8 gols - 2012
Seleção da Libertadores 2012
Tricampeão do Campeonato Paulista 2012
Artilheiro do Campeonato Paulista com 20 gols - 2012
Melhor Jogador do Campeonato Paulista 2012
Seleção do Campeonato Paulista 2012
Prêmio Ferenc Puskás - Gol mais bonito da temporada 2011
Melhor Jogador das Américas em 2011 - Jornal *El País*

Bola de Bronze – 3º Melhor Jogador do Mundial de Clubes 2011
Vice-campeão Mundial de Clubes 2011
Bola de Ouro – Melhor Jogador do Campeonato Brasileiro 2011 - Revista *Placar* e ESPN Brasil
Bola de Prata – Seleção do Campeonato Brasileiro 2011 – Revista *Placar* e ESPN Brasil
Chuteira de Ouro 2011 - Revista *Placar* e ESPN Brasil
Troféu Armando Nogueira 2011 – SporTV e *GloboEsporte.com*
Prêmio Brasil Olímpico (COB) 2011 – Categoria Futebol
Melhor Jogador do Campeonato Brasileiro 2011 – CBF
Seleção do Campeonato Brasileiro 2011 – CBF
Melhor Jogador da Libertadores 2011
Campeão do Superclássico das Américas pela Seleção Brasileira
Prêmio Ginga Esporte Interativo – Gol mais bonito 2011
Prêmio Ginga Esporte Interativo – Melhor Jogador da Temporada 2011
Vice-artilheiro da Libertadores com 6 gols – 2011
Campeão da Libertadores 2011
Melhor Jogador do Campeonato Paulista 2011
Seleção do Campeonato Paulista 2011

Bicampeão do Campeonato Paulista 2011
Artilheiro do Sul-Americano Sub-20 com 9 gols – 2011
Campeão Sul-Americano Sub-20 pela Seleção Brasileira 2011
Artilheiro da Copa do Brasil com 11 gols – 2010
Campeão da Copa do Brasil 2010
Seleção do Campeonato Paulista 2010
Melhor Jogador do Campeonato Paulista 2010
Campeão do Campeonato Paulista 2010
Revelação do Campeonato Paulista 2009
Vice-campeão do Campeonato Paulista 2009

INSTITUTO PROJETO NEYMAR JR.

Na Praia Grande, no Jardim Glória, no mesmo lugar onde Neymar construiu sua casinha com o dinheiro que ganhou, está sendo construído um sonho não apenas para os Silva Santos, mas para todas as famílias da região. Não apenas para as crianças, mas também para os pais, irmãos e familiares, que terão em uma região carente um centro para promover a vida, a saúde, o esporte, o estudo, a educação. A família.

O Instituto Projeto Neymar Jr. é uma associação privada sem fins lucrativos dedicada às causas sociais. É um complexo educacional e esportivo para crianças carentes e que visa atender famílias com renda per capita de até R$ 140,00 mensais. A missão do Instituto é contribuir para o crescimento socioeducativo das famílias, promovendo a prática de atividades físicas e oferecendo acesso à cultura para milhares de pessoas.

Por meio do esporte, o objetivo é ampliar a visão das crianças, da família e de toda a comunidade, além de enriquecer os cidadãos que não precisam ser craques de bola, para que eles se desenvolvam e cresçam em um ambiente melhor, através da transmissão de conhecimentos específicos e informações diferenciadas.

O local de 8 400 metros quadrados atenderá inicialmente 2 300 crianças dos sete aos quatorze anos. Os responsáveis por estas crianças também irão ser atendidos, o que totalizará um alcance inicial de 10 mil pessoas. Os pais das crianças que vestirão a camisa do Instituto terão acesso a palestras informativas (finanças, saúde, motivação, etc), cursos profissionalizantes, cursos de reciclagem, alfabetização de adultos, natação e hidroginástica para a melhor idade.

Todas as atividades serão ministradas no complexo situado em uma área cedida pela Prefeitura de Praia Grande em um sistema de concessão de trinta anos inicialmente e renováveis por mais trinta anos. O local se situa no Jd. Glória e atenderá a população das micro regiões de Aeroclube, Aprazível, Guaramar, Guilhermina, Marília, São Sebastião, Sítio do Campo e Vila Sônia.

Os critérios estabelecidos para a participação das crianças e suas famílias foram quanto a residirem nos bairros citados, além de serem matriculados nas escolas Municipais José Júlio, Roberto Santini, Elza Oliveira e Maria Nilza, pela frequência escolar, sendo igual ou superior a 90%, e a participação dos responsáveis nas atividades.

O Instituto chega para oferecer novas e concretas possibilidades à comunidade que viu Neymar Jr. crescer. O atleta que hoje representa o Brasil pelos gramados do mundo conhece de perto este quadro. O apito inicial já foi dado na contribuição para a virada deste jogo. Uma nova história será escrita dentro e fora de campo.

O Instituto será construído com recursos próprios e patrocínios privados. Nas atividades, serão utilizados recursos advindos de incentivos fiscais de pessoas físicas, jurídicas e também doações espontâneas para dar à comunidade o que Neymar Jr. não pôde usufruir no espaço em que cresceu. A inspiração para realizar esse sonho vem de sua infância difícil. O craque declara: "Quando eu era criança tudo o que eu queria era ter um lugar assim pra frequentar, e isso não existia na região". Como explica o pai: "Não queremos esperar o Neymar Jr. se aposentar para iniciar o Projeto. É importante realizar enquanto ele ainda estiver jogando. Vamos levar informações para toda a família, para que os pais possam ajudar os seus filhos a fazerem as suas escolhas. A família precisa caminhar junto".

Como estão também unidas no Instituto Projeto Neymar Jr. a mãe e a irmã de Neymar Jr., Nadine tem a esperança de transformar a realidade que viveu com o marido na comunidade: "Conhecemos as necessidades reais da área. Podemos melhorá-la". Rafaela tem a convicção da mãe: "O Instituto é um sonho de nossa família. Vamos transformá-lo em realidade para melhorar a vida de muita gente da comunidade".

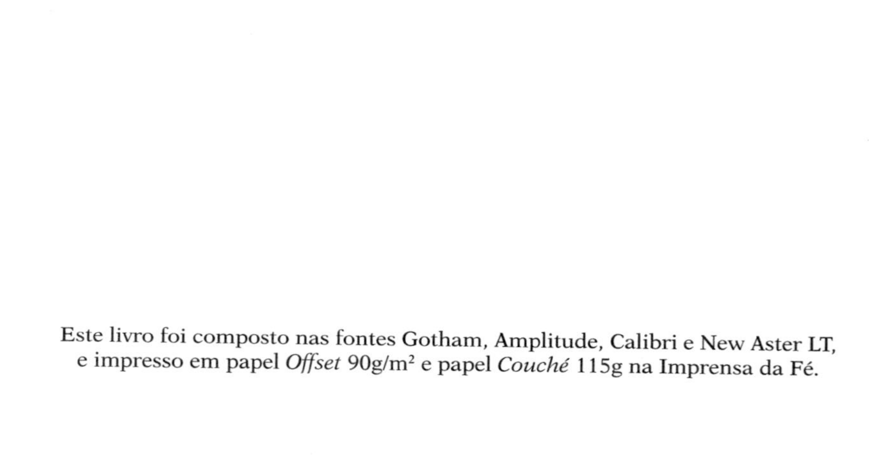

Este livro foi composto nas fontes Gotham, Amplitude, Calibri e New Aster LT,
e impresso em papel *Offset* 90g/m^2 e papel *Couché* 115g na Imprensa da Fé.